LA
SOURCE

Directrice de l'édition : Mylène Des Cheneaux
Révision linguistique : Emmanuel Dalmenesche
Correction d'épreuves : Catherine Vaudry
Mise en page : Nathalie Samson
Couverture et illustrations : Nathalie Samson
À moins d'indication contraire, toutes les images proviennent
de documents de cour ou policiers.
p. I, en haut ; p. V, en haut : Maxime Deland/Agence QMI

**Données de catalogage disponibles auprès de Bibliothèque
et Archives nationales du Québec**

Les éditions du Journal
Groupe Ville-Marie Littérature inc.*
Une société de Québecor Média
4545, rue Frontenac, 3ᵉ étage
Montréal (Québec) H2H 2R7

Tél. : 514 523-7993
Téléc. : 514 282-7530
Courriel : info@leseditionsdujournal.com

Distributeur
Les Messageries ADP*
2315, rue de la Province
Longueuil (Québec) J4G 1G4

Tél. : 450 640-1234
Téléc. : 450 674-6937

*filiale du groupe Sogides,
 filiale de Québecor Média inc.

Les éditions du Journal bénéficient du soutien de la Société de développement des
entreprises culturelles du Québec (SODEC) pour son programme d'édition.

Gouvernement du Québec – Programme de crédit d'impôt
pour l'édition de livres – Gestion SODEC.

Nous remercions le Conseil des arts du Canada de l'aide
accordée à notre programme de publication.

LA
Félix Séguin
Eric Thibault
SOURCE

SOMMAIRE

PROLOGUE

C'est une main. La gauche. Assez large et épaisse pour laisser croire qu'il s'agit d'un type baraqué qui s'entraîne en levant de la fonte. La couverture rouge sous laquelle les policiers ont dissimulé son corps n'est pas assez large pour le couvrir entièrement. C'est tout ce qu'on peut voir de lui sur la photo. J'ai l'étrange impression que cette main a quelque chose de familier.

L e matin du 21 octobre 2019, Félix Séguin et moi devons prendre congé du crime organisé pour travailler en soirée sur l'événement qui promet d'éclipser tous les autres sujets de l'actualité. C'est le jour des élections fédérales et nous avons été affectés à la couverture du scrutin. Mais nous n'allons pas couvrir cette soirée électorale. Je n'irai même pas voter. C'est un meurtre commis lors de cette matinée ensoleillée d'automne qui va accaparer notre esprit et occuper toute notre journée de travail.

«Un homme a été abattu d'au moins une balle en pleine tête lundi matin dans un terrain de stationnement de Pierrefonds, dans l'ouest de Montréal», ont rapporté les sites web du *Journal de Montréal* et de TVA Nouvelles à la suite du crime perpétré vers 8 h.

L'année est marquée par une recrudescence des règlements de comptes dans les rangs des Hells Angels, de la mafia italienne et des gangs de rue au Québec. Ce matin-là, on dénombre déjà 15 meurtres liés au crime organisé en moins de 10 mois dans la grande région de Montréal. Une victime de plus, me suis-je dit sans trop chercher à en savoir davantage.

«Je trouve qu'il y a beaucoup d'enquêteurs ici», m'écrit cependant notre collègue Maxime Deland, de l'Agence QMI, flairant que l'imposant déploiement policier peut présager une grosse affaire.

À 10 h 35, le camarade Deland accompagne son texto d'une photo saisissante qu'il a prise de la scène du crime, tout juste en face d'un centre d'entraînement du boulevard Saint-Jean. Les policiers du Service de police de la Ville de Montréal (SPVM) en ont bloqué l'accès avec du ruban plastifié de couleur rouge.

On devine, caché sous une couverture rouge étendue par les policiers, le corps inanimé d'un homme étendu sur le dos. Signe qu'il y en a vraiment partout à Montréal et pas seulement sur les nombreux chantiers routiers, les policiers ont utilisé des cônes orange pour maintenir la couverture bien en place...

Une casquette que la victime portait vraisemblablement au moment de la fusillade repose sur le bitume grisâtre, à quelques pas de la dépouille. La main gauche de l'homme dépasse de la couverture.

À peine deux mois plus tôt, Félix et moi avons passé près d'une semaine en Europe en compagnie d'un ex-chef intérimaire de la mafia montréalaise dont la tête était mise à prix dans la métropole.

« Moi, vous savez, il faut que je m'entraîne en commençant ma journée. J'en ai besoin comme un *junkie* a besoin de son *fix* de drogue. Ça me libère l'esprit et ça me fait du bien. Si je ne m'entraîne pas, je me sens mal et je ne suis pas à mon meilleur », nous avait répété ce gaillard aux yeux perçants, qui prenait grand soin de sa musculature et que certains avaient surnommé « Big Guy » dans le monde interlope.

Depuis cinq ans, ce redoutable gangster avait exceptionnellement brisé l'omertà si chère à la mafia italienne en consentant à devenir une source confidentielle de Félix.

L'été précédent, cet influent chef de clan mafieux avait accepté de « collaborer » à notre projet de livre sur la mafia montréalaise en l'alimentant par ses renseignements privilégiés, ses connaissances et son expérience personnelle. Un projet exceptionnel dans l'histoire du crime organisé au Canada, puisqu'il est extrêmement rare qu'un mafioso de haut rang accepte de coopérer avec des journalistes. Ce fin stratège du monde interlope, dont plusieurs policiers vantaient l'intelligence, croyait même qu'il nous donnerait trop de matériel pour un seul livre. D'après lui, il nous faudrait en écrire deux.

Depuis plusieurs mois, il savait que sa vie était menacée. Et nous aussi. Nous avions donc convenu qu'il serait moins risqué d'aller tenir nos rencontres pour ce projet de livre très loin d'ici, de l'autre côté de l'Atlantique, à la fin du mois d'août 2019.

«Ça se pourrait que ce soit lui. J'ai un drôle de *feeling*», ai-je dit à Félix au téléphone après avoir examiné la photo envoyée par Maxime. Nous communiquons aussitôt avec nos contacts policiers pour tenter de connaître l'identité de la victime le plus rapidement possible.

J'ai déjà eu une source qui était membre en règle d'un gang de motards. C'était à l'époque de la guerre sanglante que les Hells Angels et les Rock Machine se livraient pour le contrôle du marché québécois de la drogue, durant les années 1990.

Notre premier contact avait frôlé le désastre. J'avais écrit un article dans *Le Journal de Québec* au sujet d'un litige financier qui l'opposait à une ville, et cet homme m'avait appelé pour m'apostropher. «Je trouve que j'ai été assez correct, lui avais-je répondu en substance au téléphone. Je n'ai pas écrit votre adresse personnelle dans l'article. Mais ce sera peut-être différent si la police va vous arrêter chez vous...» J'avais immédiatement regretté mon arrogance, mais heureusement, le ton avait baissé, la discussion était devenue plus respectueuse et elle avait finalement duré plusieurs minutes. Le lendemain, ce motard m'avait rappelé pour me donner son numéro de téléavertisseur. Au cours des années suivantes, il m'avait transmis plusieurs renseignements sur ce qui se passait en coulisses durant cette guerre des motards qui a fait plus de 160 morts au Québec. Pourquoi? Sans doute parce que lui et sa bande croyaient que mes articles pourraient contribuer à servir leurs intérêts au détriment de ceux de la bande rivale.

Mon premier contact avec le mafioso que j'ai l'impression d'avoir reconnu sur la photo avait été fort différent. Je n'avais pas été aussi baveux qu'avec le motard, en tout cas. Il y avait parfois quelque chose de très intimidant dans le regard intense de cet homme d'origine italienne qui tenait mordicus à être traité avec respect.

La dernière fois que j'avais parlé à celui auquel Félix et moi faisions référence en l'appelant «la source», c'était le vendredi précédant ce matin d'élections générales. Il insistait pour qu'on tienne une autre rencontre ensemble, ici à Montréal, afin de nous remettre des documents. Il nous avait aussi avisés de sa ferme intention de quitter le pays très bientôt, pour une durée indéterminée. «Je dois partir, le temps que ça se calme», disait-il, son billet d'avion déjà en poche.

Quelques jours auparavant, des contacts du milieu policier nous avaient fortement conseillé de ne pas courir le risque de rencontrer de nouveau ce mafieux qui vivait sur du temps emprunté. Si jamais un tueur à ses trousses avait «la chance» de l'éliminer, il liquiderait aussi sans hésiter toute personne qui aurait le malheur de se trouver en sa compagnie pour ne laisser aucun témoin du crime, nous avait-on expliqué deux fois plutôt qu'une. Nous avions sagement suivi ce conseil: en revenant d'Espagne, nous avions limité nos contacts au seul téléphone.

L'homme m'avait appelé trois jours avant ce fameux lundi. En terminant notre conversation, je lui avais dit de passer une bonne fin de semaine et de faire attention à lui. Ce n'était pas le genre de mafieux à se promener entouré de gardes du corps, mais il prenait un tas de précautions pour protéger ses arrières. Ça n'a pas suffi.

À 11 h 40, je reçois un court message texte d'une source policière. Incrédule, je fixe encore l'écran de mon téléphone quand
Félix me rappelle et me répète les deux mêmes mots que je
viens de lire et de relire: «C'est Andrew.»

Eric Thibault

CHAPITRE 1

« ES-TU IMPRESSIONNÉ ? »

Le journalisme est un métier passionnant. Il est fait d'aventures, mais peut s'avérer complexe, surtout quand il s'agit de la confidentialité des sources journalistiques. C'est un aspect fondamental du métier qui amène des dilemmes moraux et éthiques.

A u Québec et au Canada, ce sacro-saint principe est balisé par la loi. En clair, il protège l'identité des sources des journalistes qui doivent souvent promettre l'anonymat à un collaborateur afin d'obtenir une information sensible et privilégiée.

Nous avions conclu ce type d'entente avec Andrew Scoppa. En aucun temps, nous n'allions révéler l'identité d'un seigneur de la mafia qui avait décidé d'enfreindre l'omerta et de devenir notre informateur.

Cependant, deux mois avant qu'il soit assassiné, nous lui avons demandé sans détour ce que nous devrions faire avec le contenu de ses confessions advenant sa mort.

«Tu fais ce que tu as à faire» nous a-t-il dit le sourire au lèvre. En clair, le choix de publier ou non son récit et son identité reposerait alors entre nos mains.

Tout comme mon collègue Eric Thibault, qui a passé son enfance en Gaspésie, j'ai grandi très loin de l'agitation de Montréal, dans un village de 2500 habitants en Abitibi-Témiscamingue. D'aussi loin que je me rappelle, le crime organisé, les affaires policières et l'actualité internationale m'ont toujours fasciné.

Même tout jeune, je n'ai jamais ronchonné quand nous regardions le bulletin de nouvelles de 18 h plutôt que les émissions jeunesse comme *Passe-Partout*. Les films grand public que regardaient les jeunes de mon âge me laissaient pour la plupart indifférent. Sans le savoir, j'avais le profil pour devenir journaliste. Je voulais toujours en savoir plus.

Je n'ai jamais vu un film de la saga *Star Wars*, mais je me rappelle fidèlement plusieurs épisodes de la série télévisée *Alfred Hitchcock Presents*, un *remake* de l'émission du même nom diffusé au début des années 1960. Cette série, qui mettait en scène des enquêtes policières entremêlées de mystère et de suspense, était un refuge où je m'imaginais être l'enquêteur chargé de l'affaire.

Dans les années 1980, contrairement à tous mes copains, je n'ai jamais lu «Un livre dont vous êtes le héros», mais ce n'est pas faute d'avoir essayé. Par contre, je me souviens avec précision de paragraphes entiers de nombreux ouvrages consacrés au prospecteur gaspésien Wilbert Coffin, déclaré coupable et pendu en 1956 pour le meurtre de trois chasseurs américains. J'ai dû lire 10 fois celui de l'ex-sénateur Jacques Hébert, *J'accuse les assassins de Coffin*, que j'empruntais à la bibliothèque.

Mes premiers enseignements sur l'existence même de la mafia, je les ai tirés des livres. Je me rappelle précisément quand ça a commencé. Il y avait dans mon village un dépanneur qui vendait la revue *Dossier Meurtres*. Je collectionnais ces fascicules avec passion et j'attendais avec impatience la sortie du prochain numéro. Ted Bundy, Albert De Salvo, «Le Boucher de Plainfield»... j'avoue que c'était des lectures plutôt morbides pour un jeune adolescent. Il y avait tous ces meurtriers en série et aussi un dossier consacré à Al Capone, le boss de l'«Outfit», la mafia de Chicago.

Capone, Gotti, Gambino, Cotroni, Rizzuto... Peu à peu, la vie de ces personnages qui semblent plus grands que nature lorsqu'ils sont passés à travers le filtre de la télévision et des journaux a commencé à m'intéresser. J'ai commencé à acheter un tas de bouquins sur le sujet. Aujourd'hui, ma bibliothèque contient plusieurs dizaines de livres sur la mafia.

Rien d'étonnant donc si, au début des années 2000, j'ai commencé à couvrir le crime organisé traditionnel italien, que la police désigne par l'acronyme COTI. Montréal était alors dominée par le clan du parrain Vito Rizzuto. Celui-ci était à l'apogée de sa puissance tandis que le Québec et la métropole commençaient à se remettre de la guerre des motards qui avait fait plus de 160 morts en 8 ans.

J'ai toujours écrit des histoires sur les criminels à l'aide de documents et de sources policières. J'ai toujours fait de mon mieux, mais je voulais en savoir plus et comprendre davantage. Alors que l'énorme majorité des Italo-Canadiens qui ont grandi dans des quartiers de LaSalle, de Saint-Léonard, de Parc-Extension ont contribué à l'essor de la province, pourquoi quelques dizaines d'individus ont-ils choisi de vivre une vie tout droit sortie des films de gangsters? Leur vie ressemblait-elle à celle de Vito Corleone, personnifié par Marlon Brando dans le premier film de la trilogie *Le Parrain*, ou plutôt à celle de Tommy DeVito, le personnage de *Goodfellas* (*Les Affranchis*)? Peut-être aucune de ses réponses.

J'avais besoin d'entrer dans la tête de ceux qui vivent du crime. J'avais un désir viscéral de comprendre qui ils étaient vraiment et comment ils pensaient. Je l'avoue, ils exerçaient chez moi une certaine forme de fascination.

À l'automne 2014, notre Bureau d'enquête, un regroupement de journalistes de Québecor chargés d'enquêter et de publier des dossiers d'envergure, en était à sa deuxième année d'existence. Le Québec venait de fermer les derniers chapitres de la Commission d'enquête sur l'octroi et la gestion des contrats publics dans l'industrie de la construction. Après avoir mené 261 journées d'audience et entendu 292 témoins, la commission Charbonneau, comme on l'appelait plus communément, avait commencé à démontrer l'infiltration de l'industrie de la construction par la mafia.

J'avais besoin d'une source pour aller plus loin et documenter encore plus précisément l'infiltration de l'économie légale par le crime organisé. En d'autres mots, je voulais être assis à la même table que ceux qui corrompent les corrompus. Je m'étais donc fixé comme objectif de recruter une source à l'intérieur des rangs mafieux. Si le résultat était positif, si une telle rencontre avait finalement lieu, j'en tirerais sûrement beaucoup d'informations essentielles à mon boulot de journaliste. En plus, je pourrais assouvir une fascination qui datait d'une trentaine d'années.

La personne qui m'a aidé à recruter cette source est un ex-policier de la Section des homicides du SPVM. Il connaissait un important criminel de la métropole qui avait aidé les enquêteurs dans quelques dossiers en leur refilant des tuyaux. Cet ex-flic, mentionnons-le, voulait me faire découvrir l'envers du décor du travail des policiers à Montréal. « Si ça fonctionne, tu vas tomber sur le cul ! » me disait-il. J'ai cru comprendre que les deux hommes avaient le même médecin et pouvaient s'envoyer des messages par son entremise.

J'étais surpris que le monde de la police et le monde de la mafia puissent être aussi imbriqués. Ma porte d'entrée dans ce monde-là, je pensais que ça aurait été quelqu'un du monde criminel lui-même. Mais c'est quelqu'un de la police qui m'a dit : « Va parler à Andrew, parce qu'il connaît des affaires, il parle beaucoup, il a des choses à dire. » Les policiers qui me conseillaient d'entrer en contact avec lui ne faisaient pas toujours les choses de manière « traditionnelle ». Telle a été ma première surprise : c'est « une police » qui arrange tout pour que je rencontre un des plus grands mafieux au Canada ! De la façon dont ils parlaient d'Andrew, c'est quelqu'un qu'ils connaissaient parce qu'ils s'étaient souvent entretenus avec lui au cours des dernières années. Ils semblaient avoir confiance en lui : ce n'était pas un piège qui m'attendait.

Au début du mois d'octobre 2014, un de mes téléphones sonne. À cette époque, j'avais trois cellulaires, car les journalistes et les patrons de notre Bureau d'enquête avaient peur de se faire espionner. C'est donc dans ce climat un peu paranoïaque que l'ancien policier m'appelle. « Ça marche, il veut faire ça dans un hôtel. Trouve-toi une chambre et rappelle-moi. Il faut que ça soit demain. » Je parle à mes patrons, je réserve la chambre, je rappelle le flic. « Tu m'en donneras des nouvelles », me lance-t-il avec un sourire dans la voix.

Le lendemain, je suis au volant d'une fourgonnette blanche de marque Dodge dans le sud de la métropole. Quelques jours plus tôt, les logos de TVA collés sur le véhicule avaient été enlevés. Je me gare dans la cour arrière du bureau de chantier de la nouvelle tour à condos District Griffin au coin des rues Peel et Wellington. Si jamais quelqu'un m'y voit, je pourrais prétexter être à la recherche d'une nouvelle propriété dans le quartier Griffintown. L'endroit, autrefois industriel, vit un véritable boom immobilier : on projette d'y construire 15 000 unités résidentielles. Autour de moi s'élèvent plusieurs nouveaux édifices à condos. Je me rends calmement à la brasserie italienne Industria. Ironiquement, je devais apprendre quelques années plus tard que l'endroit est fréquenté par des gens liés au crime organisé italien. Bref, m'enfonçant encore plus profondément dans le cliché, je commande une entrée de tomates-bocconcini et une assiette de prosciutto-melon pour emporter. Je me rappelle très bien m'être dit : « Si jamais il se présente, je vais au moins lui offrir de quoi à manger. » Je me disais que c'était une forme de courtoisie qui m'aiderait à établir le premier contact. J'avais tort.

L'Industria est située en bas de l'Hôtel Alt, un immeuble de 154 chambres et 188 habitations privées. J'y ai réservé une chambre à mon nom, pour 219 $, un montant bien investi si cette rencontre a lieu. Je demande à l'employée de me donner une carte d'accès et de garder l'autre à la réception :

un dénommé «Scott» doit me visiter à 14 h, et je n'aurai pas besoin de la chambre pour la nuit. Je lis de l'amusement dans le regard de la femme et je me rappelle avoir eu le même sentiment, mais pas pour les mêmes raisons.

Je monte à la chambre une heure avant notre rendez-vous. Je me rappelle m'être posé mille questions chemin faisant. Sera-t-il armé? Aura-t-il un garde du corps? Un de ses ennemis l'attend-il pour le tuer? Si quelqu'un veut sa peau, que vaut la mienne si nous sommes vus ensemble?

L'hôtel est neuf, les chambres, spacieuses et modernes. Comme le dit la firme d'architecture LemayMichaud, concepteur du projet, le béton y est à l'honneur «depuis les colonnes dans les espaces communs [...] jusqu'au plafond exposé dans les chambres». Il se dégage d'ailleurs des lieux une certaine grisaille, mais l'atmosphère n'est pas à la fête de toute façon. Il n'y a qu'un défaut: les grandes fenêtres laissent très bien voir ce qui se passe dans les appartements situés dans les immeubles d'en face, ce qui veut dire que l'inverse est aussi vrai. Je tire donc les longs rideaux couleur crème, je m'allonge sur le lit et je fixe le plafond. L'heure qui suit m'apparaît comme une éternité.

À 14 h précises, on cogne à la porte. C'est lui, la source que tout journalistes rêveraient d'avoir. L'homme de courte stature est armé et dépose son pistolet sur une table que j'ai placée entre le lit et une chaise. «*Are you impressed?*» me lance-t-il avec un grand sourire. «*Yes. Very much.*» J'ai devant moi Andrew Scoppa, l'un des confidents du défunt parrain Vito Rizzuto, un trafiquant international d'héroïne et un meurtrier sans pitié. De l'avis de sources policières, ce chef de clan de la mafia est soupçonné d'avoir trempé dans une quinzaine d'assassinats.

«*Do you know you're lucky? Many people would go fucking crazy to meet The Broom*», me dit-il. «The Broom»? Il m'explique que c'est un surnom qu'on lui a donné dans «la rue» en raison d'une méthode qu'il a inventée pour faire payer les emprunteurs récalcitrants à rembourser.

Pour dire vrai, je suis un peu surpris que ce personnage ait été autant médiatisé au cours des dernières années. Son charisme est loin de celui qu'exerce Vito Rizzuto sur ses sujets. Il est habillé simplement: chaussures de course à pied, jeans, chandail beige, manteau bleu et casquette de la marque sportive Under Armour vissée profondément sur la tête. Il s'entraîne beaucoup et s'en confesse dès notre premier entretien. «*Me, I train every fuckin' day. Rain or shine, I fuckin' train you know, because a lot of shit is going through my life at this time*», me lance-t-il en se prenant la tête à deux mains. «*Do you train?*» me demande-t-il. Je lui lance que je fais de la course à pied et que je planifie courir mon premier marathon dans deux ans. «*Cardio is not good, you should stop*», me répond-il sèchement. D'ailleurs, c'est l'évidence qu'il s'entraîne, son gilet beige peine à contenir ses biceps.

Si Andrea Scoppa n'est pas tiré à quatre épingles comme Vito Rizzuto, il a un trait commun avec le parrain: un timbre de voix incroyablement bas qui confère à chacune de ses affirmations un sens plus lourd. C'est comme si chaque fois qu'il finissait une phrase, il voulait être sûr d'être entendu, compris et de ne pas avoir à se répéter. Il parle, comme la majorité des mafieux montréalais, un anglais qui ressemble à celui de Tony Soprano, le personnage central de la série américaine du même nom.

Quand je lui offre de partager les tomates-bocconcini et l'assiette de prosciutto-melon que j'ai commandées au resto d'en bas, il décline l'offre sèchement. «*How can I be so sure that you won't poison me?!*» s'exclame-t-il dans un grand éclat de rire. Il faut dire qu'il a de quoi se méfier. Un peu plus d'un an plus tôt, le caïd mafieux Giuseppe De Vito, qui a d'ailleurs été associé à Scoppa, est mort empoisonné au cyanure dans sa cellule du pénitencier de Donnacona.

D'ailleurs, chaque fois que je le questionnerai sur le décès de ce caïd qu'on surnommait «Ponytail», Scoppa refusera d'aborder le sujet, sauf pour dire que ce meurtre était «un chef-d'œuvre». Avec le temps, j'allais comprendre ce que ça voulait dire lorsqu'il préférait ne pas parler d'un assassinat... C'est qu'il y avait possiblement joué un rôle. D'ailleurs, Scoppa a une mémoire phénoménale. Il se souvient de l'année, du mois, du jour et même de l'heure de presque tous les meurtres liés à la mafia.

À bien des égards, on approche une source journalistique de ce calibre comme on approche toute autre source. On doit d'abord connaître la personne qui est devant nous, et celle-ci doit nous connaître également. Cela implique souvent de partager certains détails de sa vie privée qu'on aimerait garder pour soi. Moi et Scoppa en avons partagé des tonnes. Trop, probablement.

La confidentialité est essentielle dans une telle relation source-journaliste. «*Nobody must know that we talk to each other. Is that clear? Nobody.*» Je lui garantis l'anonymat, et, de son côté, il me garantit qu'il ne me dira rien que la vérité, toute la vérité. Venant d'un criminel de cette envergure, j'en doute énormément, mais je n'ai pas d'autre choix que d'embarquer le plus rapidement possible dans cette aventure. Dans l'hypothèse où surviendrait, disons, un événement violent dont il serait la victime, qu'adviendrait-il de la confidentialité de nos discussions ? Je lui pose la question, mais il ne me donne aucune instruction précise.

Avant de quitter la chambre d'hôtel, après une heure et demie de discussion sur tout et rien, il me donne un numéro pour le joindre : 514 230-0419. C'est un numéro de téléavertisseur. Il me demande d'inscrire le code 6181 quand j'ai besoin de lui parler, il saura ainsi que c'est moi. D'ailleurs, les chiffres 6-1-8-1 font partie de mon numéro de téléphone portable. Je me suis toujours demandé quel était le secret de ce genre de codage. La solution n'existait que dans sa tête, m'a-t-il dit quand je lui ai posé la question, et il ne l'a jamais partagée avec moi. Avant de passer la porte, il tient absolument à connaître ma date d'anniversaire. Je la lui confie sans retenue.

Un peu plus de deux semaines plus tard, je reçois un premier coup de fil de sa part. « *Happy birthday, my friend!* » dit-il d'une voix d'outre-tombe qui provient d'une cabine téléphonique. Il ne va manquer aucun de mes anniversaires. Tous les 21 octobre, un « *Hello* » va retentir en provenance d'un numéro de téléphone inconnu. À partir de ce moment bien précis, ma vie de journaliste a changé.

CHAPITRE 2

LE DILEMME

Pendant les cinq années suivantes, j'allais partager des moments très importants de la vie d'un des plus grands criminels du Canada. Une vie faite de colère, de stress, de rancœur et, surtout, de la crainte de mourir.

Au début, on se rencontrait toujours à l'Hôtel Alt, au coin des rues Peel et Wellington, à Montréal. Ensuite, on allait à l'Hôtel des Gouverneurs de Place Dupuis. Il s'est mis à vouloir me voir très, très souvent. Trois, quatre, cinq fois par semaine. Parfois même à deux reprises la même journée : le matin et plus tard dans l'après-midi. Finalement, d'un commun accord, nous avons décidé qu'il viendrait me rejoindre dans ma fourgonnette et qu'on se promènerait en parlant. Ce qui est spécial, c'est que je l'ai vu seulement une fois à bord d'une voiture autre que la mienne. Il me donnait toujours rendez-vous au coin de telle et telle rue, puis il arrivait à pied. J'en ai déduit qu'il parlait à son chauffeur, que ce dernier le déposait pas loin et l'attendait, peut-être même qu'il nous surveillait aussi.

Dès le départ, cette relation-là m'a posé un dilemme éthique. Les deux premières semaines, c'est le fun, tu prends les infos... Mais ce que j'ai rapidement constaté, c'est que, sachant que j'avais des sources policières, il cherchait à faire du contre-renseignement avec moi. Il me demandait toujours : « Ouais, c'est quoi les grosses enquêtes de police présentement ? » Des fois, il me demandait des choses tellement précises que je me doutais bien qu'il voulait s'informer au sujet d'une enquête en cours qui aurait pu, peut-être, monter jusqu'à lui.

Il voulait aussi qu'on aille en voyage ensemble. Il voulait qu'on en planifie un. Je disais toujours que ce ne serait pas possible, du moins « pas maintenant ». J'attendais mon deuxième enfant à ce moment-là. Je ne voulais pas non plus balayer la possibilité du revers de la main, mais il insistait. « Quand est-ce qu'on part en voyage ? me demandait-il. On pourrait acheter des billets. » Il voulait qu'on aille à Saint-Martin, une île des Antilles où transitent des tonnes de cocaïne destinées au marché montréalais. Curieusement, il y allait souvent. Chaque année.

Au fil des rencontres, il s'est mis à essayer d'en apprendre auprès de moi toujours beaucoup plus que ce que lui me disait. Les moyens d'y remédier étaient très limités. Je ne pense pas qu'un gars comme Andrew Scoppa était très tolérant au mensonge, même si le mensonge devait faire partie intégrante de ses activités criminelles. Donc, je lui ai dit que j'avais beaucoup d'informations qui me venaient des policiers, mais que je ne pouvais pas me permettre de les partager avec lui. À la longue, ce serait devenu invivable. « Si je partageais avec toi des informations que les policiers me donnent, lui disais-je, ça voudrait dire aussi que je peux partager avec eux des informations que toi tu me donnes. » Il trouvait cela relativement logique. Puis, je lui ai dit qu'accessoirement, si je commettais ce crime éthique là, pour lequel il n'y a pas vraiment de pardon, je n'aurais plus de job. «J'ai besoin de ma job. J'aime ma job. C'est ce que j'aime le plus au monde. Ça fait qu'on ne pourra pas aller là.» Mais chaque fois qu'on se rencontrait, il revenait à la charge.

Le plus souvent, il me demandait: «Qu'est-ce que tu entends à propos de moi?» Après un bout de temps, c'était devenu une *joke*. Comme il persistait à me le demander, je lui disais ce qu'il voulait entendre. Il me disait quelque chose, je le lui répétais et ça le réconfortait. Par exemple, un jour il m'a dit: *«I think they call me "The Ghost"* (Le Fantôme) *because they don't see me nowhere»*, et je lui ai répondu: «Oui, ils t'appellent "Le Fantôme", ils te voient nulle part.» Il venait se faire réconforter souvent. À ce moment-là, les policiers ne le voyaient pas beaucoup en ville. C'était avant le projet d'enquête Estacade de la Sûreté du Québec. Andrew ne se promenait pas beaucoup dans les cafés, et il n'était pas du genre à aller à la boxe ou aux galas d'arts martiaux mixtes, même si c'était un fan de combats. Quand il allait au hockey, disait-il, il se cachait et s'asseyait toujours dans les sièges gris, en haut. Il ne se rendait ni aux funérailles ni aux anniversaires. Il envoyait juste des fleurs ou un cadeau. Ça faisait partie de sa stratégie entre 2003 et 2017, et elle semble avoir été assez bonne: il ne s'est pas fait arrêter même s'il a passé 15 ans à trafiquer de la drogue. Donc cette portion-là de son histoire, c'est vrai. Ce que je pouvais me faire confirmer par la police à cette époque-là allait dans le même sens. Il ne sortait pas et n'allait pas dans les places où les autres allaient. C'était un peu l'homme de l'ombre. Son influence s'exerçait aussi dans l'ombre. «*The loudest guy in the room is the weakest guy in the room*», aimait-il répéter.

Pendant toutes ces années-là, tous les deux, nous avons ainsi poursuivi des objectifs parallèles. Chacun y trouvait son compte. À un moment donné, les policiers, qu'ils soient de la Sûreté du Québec ou du SPVM, se sont mis à se poser des questions. J'ai commencé à recevoir des messages du style : «Ça se peut pas que tu sois *dead on* comme ça... Va falloir que tu fasses attention.» Eric a aussi reçu le même genre de commentaires après des articles que nous avons cosignés sur la base de ses informations. En somme, nous étions quasiment trop bien informés et il n'y avait qu'une infime possibilité que ça vienne de la police. Cela devait donc venir de quelqu'un qui avait une connaissance directe ou quasi directe d'un événement dans le crime organisé.

D'un côté, Andrew voulait s'assurer que la police ne s'inté-ressait pas à lui, mais, de l'autre, il avait besoin d'être reconnu pour le succès de ses activités légales. «*You know that I'm very successful?*» m'a-t-il dit un jour au Alt. «Pourquoi?» «J'ai des compagnies, j'ai de l'argent...» C'était dans une période où il allait bien, où il voulait que je comprenne à quel point il était intelligent et qu'il avait réussi. Il avait effectivement une grosse compagnie de guichets automatiques (ATM). Il en avait des centaines. Le truc pour blanchir de l'argent avec ses guichets automatiques était assez simple : ses gars les remplissaient avec l'argent du crime, et c'était tout. Juste avec ça, m'expliquait-il, il n'avait plus besoin d'être mafieux, il pourrait juste être un «vrai» homme d'affaires. En même temps, je sais que tous ceux qui sont rendus là ont aussi des *business* légitimes pour blanchir leur argent. Faut pas être dupe non plus. Quand il en parlait dans la chambre d'hôtel, il se redressait sur sa chaise parce qu'il gagnait ainsi en pres-tance. Je sentais qu'il voulait que je sois impressionné, que je lui dise que c'était une bonne idée. À un moment donné, il parlait de lancer un commerce d'importation de viande en provenance du Brésil. Du poulet. Il cherchait un peu mon approbation morale. Il aurait voulu que je lui dise que j'étais fier qu'il soit dans une entreprise légale.

Bizarrement, il sentait aussi le besoin d'être valorisé pour les informations qu'il avait données dans le passé à la police. Il relatait toujours les mêmes histoires : une cargaison d'armes saisies au centre-ville et une mauvaise *batch* d'héroïne qu'il avait réussi à faire sortir de la rue après une demande de la police. Une fois sur deux, il me racontait ces histoires-là en insistant sur le fait que les policiers ne lui étaient pas suffisamment reconnaissants pour son aide. Malgré tout, il me disait souvent : «*Do you know everyone thinks I'm a good guy? Even the cops. They love me! They want a piece of me.*»

Il occultait toujours sa propre vie criminelle lors de nos rencontres. S'il me fournissait des informations sur ce qui se passait dans le milieu criminel, il ne me parlait jamais de ce qu'il avait pu faire lui-même comme criminel. Pourtant, pendant cette période-là, la police le soupçonnait de commander des meurtres, comme je l'ai appris plus tard.

Dans le courant de l'année 2016, notre relation de journaliste et de source s'est avérée non productive. Il me parlait juste de ses états d'âme. J'étais devenu pour lui un confident et un genre de conseiller. Il avait beaucoup besoin de s'épancher. Mais trois ou quatre fois par semaine, pour moi, ça devenait lourd. Le temps que je passais en sa compagnie ne débouchait sur aucun travail journalistique. J'étais dans une drôle de situation. Il me parlait beaucoup de sa famille et de son frère, et me demandait comment je me sentais, alors que moi, je n'avais aucune envie de partager mes états d'âme avec lui. Je le faisais peut-être un peu, mais de façon superficielle, pour voir où la conversation allait nous amener.

Andrew réfléchissait beaucoup sur la vie. Des réflexions assez simples. Même simplistes. Du genre : à quoi ça sert l'argent si t'as pas la santé ? À quoi ça sert d'aller en voyage si c'est pour être stressé ? À quoi ça sert d'avoir une belle voiture si c'est pour te faire arrêter par la police ? Il se plaignait beaucoup à propos de l'argent. Beaucoup. Son pessimisme devenait très lourd à porter. Et là, il a fini par se faire arrêter. Alors j'ai tiré la plogue pour un temps. On s'est peu parlé entre l'hiver 2017 et le printemps 2019.

Puis, en mars 2019, j'ai décidé de reprendre contact avec lui, alors que sa vie était plus que jamais menacée en raison d'une « guerre entre les clans sicilien et calabrais du crime organisé italien », selon ce que la Sûreté du Québec expliquera plus tard la même année. C'est ainsi qu'en juillet 2019, j'ai présenté Scoppa à mon collègue Eric Thibault, mon fidèle ami, avec qui j'ai cosigné deux livres sur le crime organisé et des dizaines d'articles sur la mafia. Eric, que j'appelle toujours « Partner » ou « Part », m'a accompagné tout au long des mois les plus intenses de l'année 2019.

Le lundi 8 juillet 2019, nous sommes convoqués par Andrew Scoppa dans l'ouest de l'île de Montréal. C'est la première fois qu'Eric va rencontrer LA source. J'en suis d'ailleurs soulagé, car je suis déjà redevenu pour Scoppa un confident auprès de qui il s'épanche à chaque occasion. Il m'arrive alors souvent de conduire pendant 45 minutes en empruntant l'A-15 Nord, puis l'A-40 Ouest pour l'écouter patiemment se plaindre du gouvernement, de la police, de ses rivaux, des journalistes, etc.

Donc, en ce jour ensoleillé d'été, je reprends le même chemin, mais cette fois pour aller rejoindre mon « Part » dans le stationnement des Galeries des Sources à Dollard-des-Ormeaux. Nous avons rendez-vous à 11 h 30 au parc Westwood, qui est enclavé dans un quartier résidentiel. Nous arrivons 15 minutes en retard. Nous nous stationnons derrière un club de tennis et traversons un long terrain de soccer pour rejoindre une estrade. Quand nous commençons à marcher, Scoppa se met lui aussi en mouvement, si bien que nous faisons les présentations au milieu de la longue surface gazonnée. «*Didn't we say that we were supposed to meet at 11h15?*» demande-t-il, visiblement un peu froissé. Il se tourne vers Eric en lui lançant tout de go: «*When you show up on time, it shows the respect you have for someone.*» Il vient de me passer un message. Ça doit faire 10 fois que j'entends cette phrase. Certaines de ses phrases fétiches étaient ainsi devenues très prévisibles, mais je ne me lassais jamais de les entendre. Nous avançons ensuite vers l'estrade et, sous un soleil de plomb, il nous offre chacun un café noir de chez McDonald's. L'atmosphère se détend rapidement et «la source» se montre plutôt volubile.

Cette première rencontre à trois se déroule très bien. Eric est manifestement impressionné, non pas par la stature de l'homme, mais par le caractère unique de ce moment bien précis dans sa vie de journaliste. Tout comme moi lors de ma première rencontre avec Scoppa en 2014, il a l'impression de jouer dans un film. «Comme dans *The Soprano*», m'a-t-il lancé plus tard dans une discussion entrecoupée d'éclats de rire. C'était véritablement un film. D'ailleurs, nous en avons eu une preuve quelques mois plus tard...

Notre rencontre suivante a lieu au même endroit. Andrea, Eric et moi convenons alors de l'entente suivante: nous allons passer une semaine ensemble, dans un lieu choisi par «la source», afin d'écrire un livre sur les dessous de la mafia montréalaise. Le projet est emballant. J'en ai parlé au préalable au patron du Bureau d'enquête, Dany Doucet, et il a dit oui sans hésiter. Quand cet homme qui dirige la salle de rédaction du *Journal de Montréal* depuis 20 ans est si affirmatif, il faut saisir sa chance. Le choix de la source se porte sur la ville de Barcelone en Espagne. C'est ainsi que nous commençons à dresser les plans d'un « voyage » en Espagne, opération qui peut s'avérer extrêmement risquée pour nous trois.

Il nous faut planifier nos déplacements. Nous devons nous envoler vers la même destination, mais en aucun cas, sur le même vol. Il est hors de question que nous soyons vus ensemble à l'aéroport international Pierre-Elliott-Trudeau de Montréal. Quand tu t'appelles Andrea Scoppa, les détails de tous tes déplacements, surtout ceux à l'extérieur du pays, sont automatiquement transmis aux autorités policières. C'est ce qu'on appelle un « avis de guet ».

Nous convenons que notre source quittera Montréal le lundi 19 août, trois jours avant nous, destination Lisbonne, au Portugal. Andrew prendra ensuite un train pour nous rejoindre le vendredi de la même semaine à l'Holiday Inn de Molins de Rei, une petite ville située à 18 km du centre de Barcelone qui a l'avantage de n'être fréquentée presque exclusivement que par des « locaux ». Bordée par le fleuve Llobregat, Molins de Rei - le « moulin du roi » - compte seulement 25 000 habitants. Grâce à un tournage précédent effectué par notre Bureau d'enquête, nous savons que cette petite commune peut nous offrir la discrétion requise. Pour notre hôte, nous réservons une chambre à l'hôtel Ibis, situé à 1,6 km du nôtre, ce qui a pour nous l'avantage d'établir une distance physique avec notre sujet. De plus, cet hôtel donne un accès à un gymnase où il pourra s'entraîner.

Il est prévu que nous le laisserons s'entraîner chaque matin, nous déjeunerons ensuite ensemble, puis nous tiendrons deux séances de travail, l'une de quatre heures en avant-midi et l'autre de deux heures en après-midi. «*It's really important to have fun too, you know*, insiste Andrea. *There is so much going in my fuckin' life, you know. I need to a have a fuckin' break, you know, or I will go fuckin' nuts.*» Nous nous demandons bien comment nous aurons du «fun» avec celui que la police décrira plus tard comme un tueur impitoyable.

Le 14 août 2019, nous recevons dans nos boîtes de courriels deux billets d'avion aller-retour pour Barcelone. Notre vol est prévu pour le jeudi 22 août à 22 h 55 et l'arrivée en sol catalan à 12 h 10 le lendemain. Avec des billets d'avion en poche, toute l'affaire prend soudainement un caractère plus sérieux. La première d'une longue série de tâches est de s'assurer que Scoppa n'a pas changé d'avis. Retour au parc Westwood, où nous allons planifier la suite des choses. Notre source a une parole et elle est prête. Andrea réfléchit à haute voix à ce qu'il va dire à sa femme pour justifier un voyage dans un pays où il ne se rend habituellement jamais. Il a ses habitudes au Brésil et à Saint-Martin, mais pas en Espagne. «*I think I will tell her that I need a break*», nous lance-t-il.

Quelques jours avant de partir, nous devons absolument obtenir de notre source qu'elle accepte que sa voix soit enregistrée durant nos séances de travail. Elle n'est pas chaude à l'idée, mais elle donne finalement son consentement. La seule consigne est de stopper l'enregistrement lorsque les dossiers de meurtres seront abordés. Il ne reste plus qu'un dernier détail à régler. Nous avons besoin d'un numéro de téléphone où joindre Andrew en Europe pour être bien certains qu'il s'est rendu à destination. «*Don't worry, I'll be there*», nous répond-il. Le lundi où son départ est prévu, il se fait conduire à l'aéroport par l'un de ses hommes de main. Fidèle à son habitude, une heure et demie avant l'heure de son vol pour Lisbonne, il achète son billet et procède à son enregistrement sur le web. Avec un simple sac à dos, il s'engouffre rapidement dans la file menant au point de fouille.

Le 22 août, vers 18 h 30, Eric et moi quittons Montréal en direction de l'aéroport. Aucune valise en soute, seulement un bagage de cabine chacun. L'embarquement se déroule dans l'ordre. Le vol de nuit AC2402 qui assure la liaison YUL-BCN nous donne l'occasion de dormir avant d'entamer notre mission, mais nous sommes trop fébriles pour fermer l'œil. C'est donc les traits tirés que nous arrivons à 13 h, le lendemain, à l'aéroport Josep Tarradellas Barcelona-El Prat.

La rencontre avec Andrew Scoppa a été fixée à 15 h, le 23 août 2019. Et à 15 h précises, pas 14 h 59, pas 15 h 01, à 15 h tapant, on cogne à la porte de notre chambre au troisième étage de l'hôtel Holiday Inn de Molins de Rei en banlieue de Barcelone. «*Always on time, always on fuckin' time*», me lance Andrew. Il a une casquette des Yankees de New York, alors que l'un de nous porte une casquette des Red Sox de Boston. Ces deux équipes incarnent la plus grande rivalité sportive qui existe en Amérique. Le symbole est évocateur : lui le mafieux, nous les journalistes. Notre remarque à propos des casquettes de baseball lui fait penser que son fils est un grand fan de soccer : il doit absolument trouver une boutique où lui acheter un maillot aux couleurs du FC Barcelone, identifié au nom de son joueur préféré, Neymar. Scoppa est vêtu d'un simple polo blanc et d'un short à mi-cuisse ; il a l'air d'un touriste américain. Nous avons déjà en main la carte d'accès à sa chambre d'hôtel, que nous avons réservée sous notre nom afin de ne pas éveiller les soupçons. Nous n'en revenons toujours pas que notre source ait réussi, depuis Lisbonne au Portugal, à se pointer, encore fois, à l'heure pile à un rendez-vous dans le pays voisin.

Nous décidons d'aller prendre l'apéritif dans un café situé à l'extérieur de l'hôtel. Autour d'une assiette de jambon Serrano, de sardines à l'ail et à l'huile d'olive et de quelques bières San Miguel, nous faisons le point sur la tâche à abattre durant les jours à venir. « *Well, to be honest, I'm not too happy with the recordings, I don't want that* », nous dit Andrea. Merde ! Il ne veut plus être enregistré, ce qui implique pour nous des heures et des heures de prise de notes chaque jour, à entendre un verbomoteur dévider l'histoire récente de la mafia montréalaise. C'est pour nous une tâche colossale et nous risquons de faire des erreurs. « Tu nous l'avais promis ! » lance l'un de nous. Voilà un argument qui touche la cible en plein centre. Les mafieux sont des gens pour qui la parole donnée importe plus que toute autre forme de garantie. « *OK. But no murders on tape* », décide-t-il. Parfait, nous allons enregistrer sa voix le plus longtemps possible et prendre des notes quand il nous l'ordonnera. Tranquillement, Andrea Scoppa a déjà commencé à devenir le maître du jeu. Après chaque enregistrement, je vais devoir modifier sa voix à l'aide d'un logiciel de montage et effacer le fichier original avant de lui remettre une copie miroir de tout ce que nous voulons conserver.

Ce soir-là, nous convenons de retourner chacun dans nos quartiers et de nous revoir pour le souper à l'heure où l'on soupe en Espagne. Vers 21 h, alors que les rues de notre petite banlieue commencent à reprendre vie, nous longeons le Passeig del Terraplè pour aller cueillir Andrew à côté de son hôtel. Il nous semble bien heureux de marcher avec nous dans les rues étroites afin de se rendre à destination. Après une demi-heure à tourner en rond et à revenir sur nos pas, notre choix s'arrête sur La Volta, un restaurant de la Place de Requesens que l'un de nous deux a découvert lors d'un tournage précédent. C'est là que nous sommes les témoins de quelque chose de particulier dans le comportement d'Andrew Scoppa: nous devons commander un plat chacun et nous mettre d'accord sur ce que les autres vont commander, un exercice plutôt fastidieux dans un restaurant de tapas... Calmars frits, crevettes-melon-feta et un pain brioché aux aubergines. C'est à La Volta que nous commençons à faire plus ample connaissance.

Peu après minuit, nous regagnons nos hôtels afin d'entamer le travail le matin venu. Notre source va déballer son sac pendant quatre jours. Quatre jours au cœur de la vie d'un mafieux et des intrigues les plus secrètes de la mafia montréalaise.

Pour l'une des premières fois, de mémoire de journaliste, un mafieux toujours actif acceptait de rompre l'omertà. Mais personne ne pourrait crier vengeance en lisant ces pages. Andrea Scoppa est mort le 21 octobre 2019, le jour de mon anniversaire, atteint d'une balle en plein visage.

Son témoignage est devenu son testament.

CHAPITRE 3
« THE BROOM »

Les premiers temps, c'était trippant de le côtoyer. À l'automne 2014, pendant les deux ou trois premières semaines, mes rencontres avec Scoppa avaient quelque chose de vraiment grisant. Je me disais : « Ça y est, j'ai accès au saint des saints. » J'avais décidé de tirer parti de ces rencontres pour essayer de me créer un fonds de commerce de bonnes informations sur le crime organisé. Des bonnes informations, Andrew m'en a donné beaucoup. Énormément.

Quand il venait me rejoindre dans ma fourgonnette, je le voyais toujours arriver avec la casquette vissée sur la tête. On voyait juste la casquette et des lunettes fumées. Là, il embarquait côté passager. Et il inclinait son siège au maximum pour ne pas être vu de l'extérieur. Il n'était pas grand, mais il en imposait beaucoup avec sa voix et ses yeux.

En plus de ses informations et de ses connaissances, Andrew n'hésitait pas à partager avec moi ses opinions. C'était le genre de gars qu'on peut difficilement faire changer d'avis et avec qui il vaut mieux éviter d'argumenter. Quand tu n'étais pas d'accord avec lui, il pouvait te foudroyer du regard. Il ne se gênait pas pour dire ce qu'il pensait d'un tel ou pour faire des commentaires sur ce qu'un tel avait fait, que ce soit dans le monde en général ou dans le milieu criminel.

Parmi les phrases fétiches qu'il répétait inlassablement, il y avait : «*He did the right thing*» et «*He did what he had to do*», ce qu'on peut traduire par «Il a fait ce qu'il fallait» et «Il a fait ce qu'il avait à faire».

«Tu deviens particulièrement confiant en tes moyens quand tu réussis à accomplir des choses difficiles à faire, comme tuer quelqu'un», nous dit Andrew Scoppa, le plus calmement du monde, lors de notre première journée à Barcelone. «Quelqu'un de fort ou qui a de l'influence. Quelqu'un de dur à éliminer. Quand tu y parviens, ça se parle dans le milieu. Les gens savent que c'est toi qui l'as fait ou ils s'en doutent. Ça te donne un peu plus de pouvoir et d'importance. Même si tu l'as juste commandé et que ce n'est pas toi qui l'as tué. En ce qui me concerne, quand ça m'est arrivé personnellement, c'était parce que c'était devenu la seule option. C'était la seule solution...»

Andrea Scoppa est né le 10 février 1964 à Badolato, un village médiéval juché à plus de 200 m au-dessus du niveau de la mer, dans la région de Calabre, au sud de l'Italie. Il est âgé d'à peine 4 ans quand il émigre au Canada.

Surnommé «Andrew» à Montréal, sa ville d'adoption, il grandit dans le quartier Parc-Extension au sein d'une famille de six enfants, dont son frère Salvatore de six ans son cadet. Abandonnés par leur père, les Scoppa sont élevés uniquement par leur mère.

«Mon père était le champion mondial des menteurs», nous dit Andrea Scoppa avec une pointe d'amertume bien sentie dans la voix. C'est le seul commentaire que le mafieux daigne faire sur son père absent, en reprenant à son compte une réplique tirée du film *True Romance* (*À cœur perdu*), dont le scénariste n'est autre que le célèbre réalisateur Quentin Tarantino.

Dans ce que les cinéphiles ont baptisé «la scène sicilienne» de ce long-métrage, Vincenzo Coccotti, l'avocat d'origine sicilienne d'un clan de la pègre qu'incarne Christopher Walken, affirme que «les Siciliens sont les plus grands menteurs au monde», que son père était «le champion mondial poids lourd de tous les menteurs siciliens» et qu'il connaît tous les trucs pour démasquer une personne qui lui raconte un mensonge. Il prévient Clifford Worley, le personnage joué par Dennis Hopper, qu'il a intérêt à lui dire la vérité et à lui révéler où se cache son fils, tout en lui offrant de fumer une Chesterfield. Worley accepte la cigarette du condamné, sachant que sa dernière heure est venue, et se lance dans une longue tirade où il se moque de la génétique des Siciliens en rigolant. Faisant mine de ne pas être insulté, Coccotti l'embrasse en riant avant de lui tirer plusieurs balles dans la tête. Grand fan de films de mafieux, Scoppa adore ce dialogue, qu'il peut réciter par cœur, fort possiblement en raison de ses racines calabraises et de son animosité envers certains Siciliens d'origine.

Par contre, Scoppa dit ouvertement que sa mère est «un ange». Une femme d'une grande bonté mais «sans éducation», qui avait elle-même trimé dur dans les champs quand elle était jeune, au lieu d'aller à l'école, pour aider à subvenir aux besoins de sa famille.

Pour donner un aperçu de la pauvreté qui a marqué son enfance, Scoppa nous raconte qu'il chaussait les bottes de sa mère pour aller à l'école durant l'hiver. « On n'avait presque rien à manger. Le midi, je volais le lunch d'autres élèves à l'école. Plus tard, des élèves m'apportaient à manger parce que sinon, je menaçais de leur donner une raclée. »

Scoppa n'a pas seulement appris à se servir de ses poings à un très jeune âge et à voler de la nourriture. À peine arrivé à l'adolescence, il se met à cambrioler des maisons par effraction « pour amener de l'argent à la maison ».

Puis, à 13 ans, il braque son premier commerce à la pointe d'une arme à feu. « Je me souviens que les employés m'ont regardé et ils se demandaient si c'était une blague. J'étais juste un flo. Mais ils ont vu que j'étais sérieux quand j'ai sorti mon *gun* et que je l'ai pointé dans leur direction. »

Le gangster en herbe déclare aux policiers qu'il préfère commettre des vols à main armée dans des banques ou des bijouteries parce que ces commerces ont des assurances pour renflouer leurs pertes. « Et je n'aimais pas voir les photos de famille dans les maisons où je faisais des vols. Ça me dérangeait », ajoute-t-il.

À partir des années 1980, Andrew Scoppa délaisse les vols pour se lancer dans une activité criminelle dans laquelle il va vite exceller et qui le rendra millionnaire : l'importation et le trafic de drogues. Il se hisse rapidement parmi les gros joueurs du marché québécois de la cocaïne et de l'héroïne en s'associant avec d'autres trafiquants liés à la mafia italienne, ainsi qu'à des factions du crime organisé d'origine grecque, libanaise ou arabe.

«La majorité de ces gars-là sont le produit de leur environnement», dit-il à propos des mafiosi, tout en évitant soigneusement de prononcer le mot «mafia», lors de notre première journée en Espagne. «Le fruit ne tombe jamais bien loin de l'arbre. Alors si tu grandis pendant que ton père se tient avec "Joe le Bandit" ou "Don Tortellini", tu vois ça toute ta jeunesse et ça devient un mode de vie. Quelque chose de normal. Un peu comme si ton père ou ta mère fait carrière dans la police, il y a de bonnes chances que tu essaies de suivre son exemple en devenant flic à ton tour. Alors, presque tous les jeunes qui trempent dans ce milieu aujourd'hui, ils ont suivi les traces de leur père. Ils sont le reflet de leur milieu et ils ont appris en regardant leurs parents. Certains plus croches que d'autres. En quelque sorte, ces gars-là ont hérité du mode de vie où ils ont baigné dans leur environnement familial en adoptant la mentalité et les façons de faire en vigueur dans ce milieu.

«Et à l'opposé, il y a la minorité de ces gars, dont je fais partie. Ceux qui viennent de familles pauvres ou brisées. Ceux qui n'ont jamais pu profiter des valeurs qui auraient pu les conduire vers une vie rangée ni même les apprendre. Ils choisissent cette voie. La voie du crime.

«D'habitude, les gens qui s'impliquent le font pour une seule raison: l'argent. Tu vas te faire engager parce que tu es fiable, parce que tu as un certain talent et que t'es bon dans ce que tu fais. Dans ce monde-là, les gens vont chercher à s'entourer de personnes qui vont leur rapporter quelque chose et qui ont des talents dont ils vont pouvoir profiter. Alors en fin de compte, ça sert les intérêts de tous.

«Évidemment, si toi, t'es encore jeune et que tu me vois conduire une Ferrari, tu vas peut-être essayer de te tenir avec moi parce que toi aussi, t'aimerais ça conduire une Ferrari un jour. Ça fait partie de la ruse. Tous les jeunes veulent devenir quelqu'un. T'as plus de chances d'y parvenir en fréquentant des gens qui le sont devenus et qui ont réussi.

«En bout de ligne, ce qui compte, c'est ce que le monde voit et pas nécessairement ce que le monde entend. Alors, si je te dis que je suis riche mais que tu me vois arriver au volant d'une Volkswagen, qu'est-ce que tu vas penser? Tu ne seras pas trop impressionné. Mais si j'arrive en conduisant une Ferrari, je n'ai même pas besoin de te parler de ma fortune. Ça se voit. On le voit aussi dans ta façon de marcher, de parler, d'approcher les gens... Quand t'as de l'argent dans tes poches, tu as confiance en tes moyens et ça paraît.»

Au milieu des années 1990, Scoppa est reconnu comme un «trafiquant notoire» à Montréal et comme un «important fournisseur de grandes quantités de cocaïne» et d'héroïne, selon des jugements rendus par les tribunaux québécois et ontariens à l'encontre de présumés complices.

«Dans ce milieu, tu dois toujours être sur tes gardes parce qu'il y a toujours quelqu'un qui veut te faire tomber pour pouvoir prendre ta place.» Scoppa est le premier à le reconnaître. Il l'apprend à ses dépens le soir du 16 novembre 1995 alors qu'il rentre à son domicile de Laval au volant d'une voiture noire, la couleur de tous les véhicules qu'il a jamais eus. Voici comment *Le Journal de Montréal* relate ce qui lui est arrivé :

La victime de l'attentat à la bombe survenu à Laval mercredi soir est un homme bien connu des policiers et que les tribunaux, entre autres, ont déjà condamné pour voies de fait, possession d'arme offensive et vol qualifié.

La voiture d'Andrew Scoppa, 31 ans, a explosé au moment où, vers 22 h 50, il reculait dans l'entrée du garage de sa maison du 4573, 4ᵉ Rue, dans le quartier Chomedey.

La bombe a sérieusement endommagé l'avant du véhicule mais elle n'a pas blessé le conducteur.

Selon le sergent André Saint-Jacques, l'engin explosif, probablement télécommandé, était placé sous l'essieu avant de l'automobile ou sur le sol de l'entrée du garage.

La forte déflagration a suscité un vif émoi dans ce secteur résidentiel habituellement paisible. Des morceaux de la voiture ont volé sur plusieurs mètres avant de choir sur les terrains environnants. [...]

Des membres de l'escouade Carcajou, qui mènent la lutte aux groupes de motards criminalisés, se sont intéressés à l'explosion. Il semble toutefois qu'elle n'ait rien à voir avec la guerre que se livrent les Hells Angels et les Rock Machine.

Andrew Scoppa s'affiche comme vendeur d'automobiles. Les policiers lavallois prétendaient hier soir ne pas connaître le mobile de l'attentat.

Scoppa s'en tire miraculeusement indemne. Mais six jours plus tard, il est visé par l'explosion d'une deuxième bombe, alors qu'une puissante déflagration endommage un atelier de débosselage et plusieurs voitures de luxe sur la rue Waverly, dans le nord de la métropole. Scoppa a été le propriétaire du garage en question, mais il l'a vendu au cours des semaines précédentes, ce qu'ignoraient vraisemblablement ses ennemis.

À cette période, les attentats à la bombe sont devenus monnaie courante à Montréal et dans d'autres régions du Québec : il s'agit d'un moyen d'attaque préconisé durant la guerre des motards opposant les Hells Angels aux Rock Machine, qui a fait plus de 160 décès dans la province entre 1994 et 2002.

Le 24 novembre suivant, la police privilégie donc l'hypothèse de la guerre des motards quand l'explosion d'une bombe télécommandée dans une camionnette sur le boulevard Pie-IX s'avère fatale pour un trafiquant lavallois. Mais quatre jours plus tard, *Le Journal de Montréal* évoque une autre hypothèse : l'attentat pourrait aussi être lié à la mafia. Et à Scoppa.

Le mystère plane toujours sur trois assassinats survenus depuis moins d'une semaine à Laval et à Montréal mais c'est l'attentat à la bombe qui a coûté la vie à un mafioso trafiquant de drogues qui fait beaucoup jaser dans le «milieu».

Giuseppe Ierfino, le jeune trafiquant de drogues de 30 ans qui a été pulvérisé par une bombe vendredi matin [le 24 novembre] près du pont Pie-IX à Laval était branché dans les plus hautes sphères de l'organisation du parrain Vito Rizzuto.

Mais, en plus de ses liens avec le crime organisé traditionnel [italien], Ierfino était aussi de mèche avec les motards. *Le Journal de Montréal* a appris hier de sources sûres que le jeune homme de Laval était même un fournisseur d'héroïne pour le compte de l'organisation des Hells Angels.

Les policiers ne savent pas trop quelle piste privilégier pour expliquer son meurtre. Mais deux autres explosions survenues en quelques jours à Laval et rue Waverly pourraient être reliées à l'attentat qui a coûté la vie à Ierfino.

Les deux premiers attentats visaient Andrew Scoppa, qui l'a échappé belle lorsqu'une bombe a détruit son automobile alors qu'il arrivait chez lui dans le quartier Chomedey [le 16 novembre dernier].

Quelques jours plus tard, c'est l'ancien commerce de Scoppa, le garage Beautech de la rue Waverly, qui était partiellement détruit par l'explosion d'une puissante bombe. Scoppa, qui est connu des policiers, fréquentait plusieurs bars de l'avenue du Parc.

Les enquêteurs de Laval cherchent à comprendre les liens entre les trois explosions.

Les soupçons des policiers se portent évidemment sur Scoppa. Mais ce dernier n'a jamais été accusé de ce meurtre, faute de preuves. Et il n'a plus jamais été la cible d'un attentat à la bombe par la suite.

Andrew Scoppa se forge ensuite une réputation de caïd redoutable qui n'a peur de rien. On dit alors de lui qu'il est un créancier particulièrement efficace dans «l'art» d'encaisser l'argent qui lui est dû, bien qu'il n'ait pas eu à s'en défendre devant la justice.

À l'été 1997, Scoppa est dénoncé aux policiers de Toronto par un trafiquant ontarien qui a contracté une importante dette envers lui. David Marshall prétend que le caïd montréalais l'a fait kidnapper et battre par deux de ses hommes de main venus lui rappeler l'importance de rembourser sa dette jusqu'au dernier sou. Marshall connaît ses deux assaillants uniquement par leur surnom: le premier est surnommé «Ice Man», comme Richard Kuklinski, le célèbre tueur à gages américain qui a avoué avoir commis une centaine de meurtres pour le compte de la mafia italienne durant les années 1970 et 1980, et le second se fait appeler «Loco», ce qui signifie «fou» en espagnol. Cependant, les policiers torontois n'ont jamais inquiété Scoppa dans cette histoire: ils viennent d'arrêter Marshall pour le meurtre d'un de ses associés, un trafiquant de la région montréalaise dont le corps a été découvert, poignardé, dans un stationnement du centre-ville de la Ville Reine. Marshall est condamné à l'incarcération à perpétuité deux ans plus tard.

Au fil des ans, Andrew Scoppa en vient à raffiner ses méthodes pour «collecter» les dettes. Il a d'ailleurs inventé une technique originale pour récupérer son argent sans laisser de traces apparentes sur ses victimes qui lui a valu un surnom pour le moins original dans le crime organisé montréalais : « The Broom », c'est-à-dire « Le Balai ».

Si le mafioso d'origine calabraise hérite de ce sobriquet, ce n'est parce qu'il utilise un manche à balai pour tabasser ceux qui tardent à le payer. Sa technique n'en est pas moins douloureuse – mais « propre », selon ses dires. Il les force à s'agenouiller directement sur le bâton arrondi pendant deux ou trois heures, en gardant les mains croisées derrière la tête, et ce, tant et aussi longtemps que les malheureux n'ont pas trouvé le moyen d'acquitter leur dette.

« Il y a une multitude de façons de se faire payer, nous explique Scoppa. Tu peux envoyer des messages d'avertissement. Comme brûler leurs véhicules ou leur briser des doigts. Quand tu vois une voiture qui a flambé à Montréal, c'est souvent un message : une façon de dire que c'est le temps de payer ce que tu dois ou, la prochaine fois, ce sera peut-être ta maison qui va brûler. Ou peut-être que c'est toi qui vas te ramasser à l'hôpital. Ce sont des gens qui doivent de l'argent, soit parce qu'ils ont emprunté et qu'ils n'ont pas remboursé leur dette, ou encore parce qu'ils se sont retrouvés dans le rouge avec le *gambling* ou d'autres transactions louches. Regarde ce qui est arrivé récemment à ce gars à Westmount : ils ont d'abord mis le feu à son véhicule, puis ensuite, c'est sa maison qui a flambé. Ils ne veulent pas le tuer, ils veulent juste récupérer le satané fric que le gars leur doit et lui faire comprendre qu'il va devoir payer coûte que coûte. Parfois, ces gens-là ont de drôles de réactions. Mes hommes ont déjà tabassé un gars pour une dette et ils avaient bousillé sa machine à pinottes pour prendre le *change* qu'il y avait à l'intérieur. Le gars était en maudit et leur criait après, pas à cause de la volée qu'ils lui avaient donnée, mais parce qu'ils avaient brisé sa damnée machine à pinottes...

« Tu peux aussi utiliser certaines tactiques tout aussi efficaces qui font moins de dommages physiques et ne laissent pas de séquelles visibles ou presque. Par exemple, pendant une couple d'heures, tu forces le gars à rester agenouillé sur un manche à balai ou un bâton arrondi, avec les bras en l'air ou les mains croisées derrière la tête. Si tu n'as pas de bâton, tu peux le faire agenouiller sur des roches. Tu le forces à rester dans cette posture-là sans bouger, pendant quelques heures et, habituellement, le gars va finir par trouver une solution pour que tu puisses récupérer ton fric. Le hic, c'est qu'après deux ou trois heures à genoux comme ça, tu n'es pas capable de marcher. C'est impossible ! Ça fait très, très mal. Quand c'est fini, tu as besoin de quelqu'un pour te transporter ou sur qui tu peux t'appuyer pour avancer. Essaie, tu vas voir ! L'avantage, c'est que tu n'as pas eu besoin d'arranger le portrait du gars. Son nez est encore au centre de son visage et il a encore toutes ses dents dans la bouche. Mais tu as eu le résultat escompté. C'est louable d'essayer de minimiser les dégâts. L'important, c'est de lui montrer que tu es sérieux...

« Un autre moyen de torture efficace que je connais mais qui est beaucoup, beaucoup plus douloureux, c'est d'insérer des vis à gypse (ou à placoplâtre) dans les orteils. C'est l'enfer comme ça fait mal. La douleur est insupportable. Le pire, c'est qu'après les avoir vissées, il faut les dévisser pour pouvoir les enlever... Le pauvre gars marche tout croche comme un idiot pendant des semaines après avoir subi ça.

« J'en connaissais un qui a été kidnappé dans une station-service puis torturé comme ça autour de 2008. *With drywall in his toes*. Pourquoi ? Parce qu'il avait floué les mauvaises personnes. "*He screwed his way up*", dirait-on en anglais pour faire un jeu de mots à propos. Et lui, il n'a pas payé sa dette et son corps n'a jamais été retrouvé... »

Andrea Scoppa a passé la moitié de l'année 2003 à disputer obstinément à un membre des Hells Angels un lucratif territoire de vente de stupéfiants à Montréal. Ce genre d'affrontement serait impensable de nos jours, maintenant que la bande de motards a pris le contrôle de la quasi-totalité du marché québécois de la drogue. Mais entre les mois de mars et de septembre 2003, la mafia est encore dominante et Scoppa ose empiéter sur les plates-bandes d'Yves « Led » Leduc. Il ignorait peut-être qu'il s'agissait d'un Hells Angels que des documents judiciaires décrivent comme « un gars qui était sur le *gun* pendant la guerre des motards » entre 1994 et 2002. Ou pas.

Les détails du conflit entre Scoppa et Leduc sont documentés dans deux enquêtes policières d'importance dont les cibles se sont croisées : d'une part, le projet antidrogue baptisé Ziplock, mené par l'Escouade régionale mixte de lutte contre le crime organisé avec l'aide d'un trafiquant chargé d'infiltrer l'organisation des Hells pour le compte des policiers, et, d'autre, la fameuse enquête antimafia Colisée, par laquelle la Gendarmerie royale du Canada (GRC) a décimé le clan Rizzuto en 2006. Comme le montrent clairement des documents judiciaires au soutien de ces opérations, Andrew Scoppa a joué avec les poignées de sa tombe avant de finalement concéder la place aux motards.

On y apprend qu'au printemps 2003, Scoppa achète un bar avec un associé, sur le boulevard Saint-Laurent, non loin de l'avenue des Pins. «Scoppa vendrait de la drogue au bar Monte Carlo qui se trouve sur un territoire contrôlé par Leduc», lit-on dans les documents mis en preuve.

Le 24 mars 2003, une rencontre a lieu au bar Leblanc, sur le boulevard Saint-Laurent, dans le but de régler le litige rapidement. Leduc et Scoppa sont présents. Le motard n'entend pas à rire : il a même fait appeler le parrain de la mafia montréalaise, Vito Rizzuto, pour lui demander d'assister à la réunion et d'arbitrer le conflit. Mais ce dernier ne peut s'y rendre et il envoie à sa place deux de ses hommes de confiance, Lorenzo Giordano et Francesco Del Balso.

Yves Leduc rappelle alors que «ça fait dix ans qu'il a ce territoire». De plus, déplore-t-il, un de ses vendeurs de stupéfiants «se serait fait poignarder par un proche de Scoppa» à la suite de cette chicane de territoire. Les deux émissaires du parrain mentionnent que «leur» territoire couvre les quartiers Saint-Léonard et Rivière-des-Prairies, «qu'ils ne vont pas sur les territoires des autres mais qu'en retour, ils ne veulent avoir personne sur leurs territoires». Au bout du compte, Scoppa ne bronche pas.

Le 14 avril, quelques jours après avoir dit à la «taupe» des policiers qu'il songe à donner 20 000 $ à Scoppa pour que celui-ci déguerpisse de «son» territoire, Yves Leduc perd patience. «Leduc mentionne qu'il en a assez de Scoppa et qu'il est prêt à l'éliminer puisqu'il empiète sur le territoire de vente de stupéfiants de Leduc», relate la police dans un document judiciaire déposé en cour.

Le même jour, une autre rencontre a lieu au bar de danseuses Solid Gold, boulevard Saint-Laurent, entre Leduc, Scoppa, la «taupe» et Moreno Gallo, l'influent mafioso d'origine calabraise, dans l'espoir de sortir de l'impasse. Le motard les prévient qu'il «ne veut pas de chicane entre les Italiens et nous autres» en parlant des Hells. Ensuite, il dit à Scoppa:

«Toi, j'ai toujours entendu que [ton territoire était sur] Park Avenue et à Parc-Extension. Ça, c'est toi. Mais de ce temps icitte, j'entends parler de toi à Verdun, à Laval, sur la rue Saint-Laurent. Y'avait du monde là où t'es présentement. [...] Regarde, Moreno va te le dire qui était là.»

Puis, après avoir discuté seul à seul avec le motard mécontent, Moreno Gallo tente de faire entendre raison à Scoppa et lui demande d'enlever ses vendeurs de deux bars qui seraient dans la zone des Hells. Mais le lendemain, l'agent d'infiltration de la police apprend que Scoppa est à couteaux tirés non seulement avec Leduc, mais aussi avec un deuxième membre des Hells Angels, Antonio Costella. Le mafieux au front de bœuf vendrait aussi de la drogue dans un bar du secteur sous le contrôle de ce motard. Costella dit à la taupe qu'il a plaidé sa cause «à plusieurs reprises» avec Giordano, Del Balso et Gallo, mais sans succès.

Le 30 avril, lors d'une conversation téléphonique entre Del Balso et Giordano, les deux mafiosi disent que «des individus travaillant pour Scoppa auraient eu une altercation avec des tiers» en raison du «problème qui devait être réglé» mais qui ne l'est toujours pas. Giordano, reconnu pour son caractère intempestif, mentionne alors à Del Balso «qu'il va s'occuper personnellement du problème et qu'à partir de maintenant, ils protègent Scoppa».

«Quelle bande de clowns! Des vrais bébés. Il va falloir s'ouvrir une garderie pour les motards et les Italiens! C'est ridicule», laisse tomber Giordano sur un ton sarcastique, ignorant que la conversation avec Del Balso est enregistrée à leur insu par la GRC.

Mais le 26 mai 2003, lors d'une autre rencontre en présence de Leduc, ce sont finalement Giordano et Del Balso qui «ordonnent à Scoppa de déménager des deux endroits qui font l'objet du litige». «Pas de problème», leur répond simplement Scoppa.

Puis, à l'automne de la même année, les motards Leduc et Costella ont encore maille à partir avec Scoppa, car le même problème perdure. «Si le problème ne se règle pas, je vais le régler à ma façon», aurait dit Costella à la taupe des policiers.

Les deux Hells demandent alors l'intervention d'un autre vétéran de la mafia, Tony Mucci. C'est ce même Mucci qui, à l'âge de 18 ans, le 1er mai 1973, a tiré sur le reporter Jean-Pierre Charbonneau dans la salle de rédaction du *Devoir* alors que ce journaliste couvrait «trop» les activités du crime organisé italien au goût de certains mafieux. Charbonneau n'a pas été blessé grièvement, et Mucci a écopé d'une peine de huit ans de pénitencier.

L'après-midi du 23 septembre 2003, les Hells «exig[ent] de Mucci» qu'Andrew Scoppa et ses hommes ne mettent plus les pieds dans leurs établissements licenciés pour y vendre de la drogue. Ils «donn[ent] six mois à Scoppa pour déménager». Le conflit finit par se régler et Yves Leduc a le dessus. Mais il ne profite pas longtemps de sa victoire : l'année suivante, il est arrêté dans l'enquête Ziplock. Il est condamné à huit ans d'incarcération pour trafic de stupéfiants avant d'écoper de sept années de taule supplémentaires en 2012 pour avoir comploté des meurtres pendant la guerre des motards.

Andrew Scoppa prend lui aussi le chemin du pénitencier en septembre 2004, un an après l'issue de cette guerre de territoire avec les Hells. Une enquête menée par la police de Montréal, avec l'aide d'un agent double du Department of Homeland Security (département de la Sécurité intérieure des États-Unis) basé au Texas, a permis de piéger Scoppa et quatre complices alors qu'ils planifiaient l'importation au Canada d'une cargaison de plus de 1000 kg de cocaïne en provenance du Mexique. Scoppa plaide coupable et écope d'une peine de six ans, soit la plus sévère de sa carrière criminelle.

En 2008, Scoppa bénéficie d'une libération conditionnelle. Il est à peine sorti de taule que des informateurs avisent les policiers qu'il fait maintenant partie d'un «consortium mis en place entre les Italiens et les Hells Angels afin d'établir les territoires, la distribution et les prix du kilogramme de cocaïne» dans la grande région de Montréal, et ce, malgré ses querelles passées avec les motards.

Scoppa est alors identifié comme faisant partie du «groupe de l'Ouest», aux côtés du caïd mafieux Raynald Desjardins et du Hells Angels Michel Lajoie-Smith, une poignée de dirigeants qui ont la mainmise sur une partie du marché de la drogue. Ce renseignement apparaît dans les documents judiciaires reliés au projet d'enquête Diligence, mené par la Sûreté du Québec sur l'infiltration des Hells dans l'industrie de la construction. D'après ces mêmes documents de cour, «certains Italiens sont en désaccord avec ce consortium». Parmi ceux-ci, Tony Mucci, qui avait agi comme intermédiaire entre les Hells et la mafia pour «exiger» que Scoppa se retire des territoires des motards cinq ans plus tôt, «a été victime d'une tentative de meurtre [en raison de] son désaccord et a été mis à l'écart depuis». Personne n'est arrêté en lien avec cette tentative de meurtre.

En 2011 et 2012, des informateurs de la police identifient Scoppa comme le trafiquant détenant «le contrôle» du marché de la drogue à Laval, ainsi que dans les quartiers Parc-Extension, Villeray, Saint-Michel et dans Saint-Laurent à Montréal. «Il parle italien et grec. Toutes les ventes dans ces secteurs doivent passer par lui», allègue une source policière à l'hiver 2012 selon des documents de cour.

À cette époque, plusieurs informateurs de la police issus du milieu criminel affirment que seule «la gang à Andrew Scoppa [...] est capable de fournir la coke au kilo et en grosse quantité» dans la région de la métropole. L'une de ces sources policières qualifie même Scoppa de «plus gros importateur de cocaïne au Canada».

«Andrew Scoppa est celui qui donne tout et fournit tout présentement» à Montréal et à Laval, renchérit un informateur à l'été 2014, ajoutant que «plusieurs personnes travaillent pour lui», dont son frère Salvatore Scoppa, qui serait impliqué au sommet du marché de l'héroïne, ainsi que des individus de haut rang dans la pègre d'origine libanaise.

En 2015, un informateur qualifié de «fiable et crédible» affirme que Scoppa «a un actif liquide de plus ou moins 20 millions de dollars» et qu'on lui doit «12 millions de dettes sur la rue». Selon ce même informateur, il «possède environ 2000 guichets automatiques de style ATM installés dans les bars de Montréal, sur la Rive-Nord et la Rive-Sud», ce qui lui permettrait ainsi de «recycler son argent sale [du trafic de drogue]» dans l'économie légale.

Entre l'automne 2015 et l'hiver 2017, Andrea Scoppa est considéré comme «le présumé chef intérimaire de la mafia montréalaise», écrit la juge Linda Despots, de la Cour du Québec, chambre criminelle, dans une décision portant sur une enquête policière ciblant l'organisation de celui qu'on surnommait «The Broom», «Big Guy» ou «Uncle» (L'Oncle).

Le 27 mai 2016, un autre informateur affirme qu'«Andrea Scoppa et son frère Salvatore Scoppa ont reçu l'accord de la mafia de Toronto et de celle d'Italie [et] sont à ce jour les responsables de la mafia montréalaise. Ce sont eux, les décideurs».

Deux ans plus tard, le 20 septembre 2018, alors qu'il témoigne devant le tribunal au palais de justice de Montréal, le lieutenant Simon Riverain, de la Division du crime organisé à la Sûreté du Québec, va dans le même sens: «Andrew Scoppa avait le statut de chef intérimaire de la mafia de Montréal» durant cette période.

En 2019, les forces de l'ordre du Québec mènent une vaste enquête sur Andrew Scoppa et son frère Salvatore, qu'elles soupçonnent d'avoir commandé ou exécuté pas moins d'une quinzaine d'assassinats, et pas les moindres, dans le monde du crime organisé, selon nos sources.

«Quand tu choisis cette voie et que tu profites de ce mode de vie, ça ne te passe jamais par l'esprit que tu pourrais en mourir. Même pas proche. Tu ne penses pas à ça... Jusqu'à ce que des gens autour de toi se fassent tuer.

«Tuer, oui, c'est triste. Très triste. Parce que dans ce milieu, tu le fais pour une seule raison: l'argent. Encore et toujours l'argent. Tu prends des vies pour assurer ton profit. Et tu le fais par choix. Tu fais ce que tu as à faire.

«Il n'y a pas tant de monde que ça qui a le talent pour accomplir certaines choses qu'on doit faire dans ce milieu. Ou encore la polyvalence pour veiller un peu à tout. Très peu de gens. Mais Vito comptait assurément parmi eux...»

CHAPITRE 4
LE RESPECT

Quand Andrew évoquait Vito Rizzuto, son ton s'adoucissait. Il m'en parlait avec déférence, je dirais même avec une certaine tendresse. Avec le respect qu'un fils vouerait à son père. Le père qu'Andrew n'avait pas eu. Personne ne l'égalerait jamais, me répondait Andrew chaque fois que je lui posais des questions au sujet de Rizzuto.

Sa rencontre avec le dirigeant mafieux remonte à la fin des années 1980 ou au début des années 1990. La *business* d'héroïne qu'il a dans Parc-Extension commence à prospérer, il fait de l'argent et son nom se met à beaucoup circuler dans le milieu. C'est alors qu'Andrew entend dire que des gens vont venir lui casser la gueule, lui prendre sa *business* d'héroïne, et que ça vient de Vito et de son père Nicolo.

« Quand j'ai su ça, je suis allé voir Vito et je lui ai dit: "Jamais je ne paierai une cenne pour continuer à travailler. Tuez-moi, faites ce que vous voulez, mais jamais je vous donnerai une cenne." » Andrew a l'audace de confronter lui-même l'autorité suprême et d'aller régler ses comptes d'homme à homme, face à face, une attitude qui lui vaut le respect de Vito Rizzuto. À partir de ce moment, Vito commence à le considérer comme un membre de la famille. Désormais, quand ils se parlent, c'est d'égal à égal. Dès lors, Andrew est convié à plusieurs fêtes familiales, Vito l'invite très souvent à la maison, ainsi qu'en voyage. Vito lui demande de le fournir en vin, et il le charge aussi de parler aux autres chefs de clans quand il a besoin de faire la paix entre eux.

Andrew voulait-il prendre sa place ? Il m'a toujours répondu que non, mais il m'a dit tellement souvent que ces responsabilités-là ne l'intéressaient pas et a tellement insisté que cela revenait presque à dire l'inverse. D'ailleurs, répétait-il, on ne le voyait nulle part et il n'était impliqué dans rien de criminel. Et pourtant...

« Depuis quelque temps, Andrew Scoppa est une étoile montante de la mafia montréalaise. Il a le respect de Vito Rizzuto et ne cesse de progresser aux yeux de ce dernier. » Voilà ce qu'une source policière affirme à deux sergents-détectives de l'Escouade régionale mixte de lutte contre le crime organisé à l'automne 2012, selon des documents judiciaires obtenus par notre Bureau d'enquête de Québecor.

À la même période, lors d'une audience de la commission Charbonneau, Vito Rizzuto est décrit comme « une figure marquante du crime organisé, non seulement au Québec mais en Amérique du Nord ». Le parrain de la mafia montréalaise est réputé pour sa faculté à « trouver des solutions lorsqu'il y [a] des conflits entre différents groupes, comme des bandes de motards criminalisés, et on [fait] souvent appel à ses conseils pour trouver la paix », selon le témoignage de la caporale Linda Féquière, analyste de l'Unité mixte d'enquête sur le crime organisé de la GRC.

« Au Québec, explique Linda Féquière devant la commission d'enquête, c'est le clan calabrais Cotroni-Violi qui dans les années 1950 va vraiment contrôler le crime organisé italien à Montréal. Et par la suite, ça va être le clan sicilien des Rizzuto qui, à partir des années 1980, va prendre le contrôle des activités illégales [...].

« C'est entre les années 1940 et 1970 que le clan Cotroni-Violi commence son règne à Montréal. À partir des années 1930, les ports du Canada commencent à servir de points d'entrée pour [importer] la morphine, l'héroïne et l'opium qui viennent d'Asie et qui sont traités et fabriqués en Europe, plus précisément dans des laboratoires marseillais qui sont contrôlés, à l'époque, par ce qu'on a appelé la *French Connection*. Il faut savoir qu'à cette époque-là, toutes les mafias, soit la mafia sicilienne, la Cosa Nostra américaine, la Ndrangheta [la mafia calabraise] au Canada, tout ce beau monde-là travaillait ensemble pour faire en sorte que ces drogues soient acheminées aux États-Unis en passant par le Canada et plus précisément, par Montréal. Et c'est là que le clan Cotroni va servir d'acteur majeur [...].

« À l'époque, il y a une mainmise de la famille Bonanno, l'une des cinq familles mafieuses à New York, [sur les activités du crime organisé] à Montréal. Et le clan Cotroni devait répondre de ses actes à la famille Bonanno, dont les membres sont d'origine sicilienne.

« À partir des années 1970, il commence à y avoir des tensions entre les clans calabrais et sicilien à Montréal. Ces frictions commencent lorsque Paolo Violi est nommé "capo" par intérim par la famille Bonanno. Le chef [à Montréal] était Vincenzo Cotroni et M. Violi est devenu son adjoint. Chose qui frustre Nicolo Rizzuto Sr. qui décide d'en faire à sa tête. Et ça aussi, ça frustre M. Violi parce que Nicolo Rizzuto Sr. prend des décisions et n'informe pas ses chefs.

« Donc, après avoir subi des menaces de mort de la part de la faction calabraise, M. Nicolo Rizzuto s'exile à Caracas, au Venezuela, autour des années 1972-1973. Pourquoi avoir choisi le Venezuela ? Tout simplement parce qu'il s'agit d'un point géographique stratégique. C'est un pays frontalier avec la Colombie, qui est un grand producteur de cocaïne. Et le Venezuela va aussi servir de point de transit avec les États-Unis, où la majorité de la cocaïne et de l'héroïne est importée. Autre facteur qui explique la décision de Nicolo Rizzuto [...], il a des partenaires là-bas. La famille Caruana-Cuntrera, des Siciliens, est déjà installée au Venezuela. Elle va travailler [...] avec les Rizzuto et ces familles seront largement impliquées dans le trafic de stupéfiants. Ici, on ne parle pas en termes de grammes, ni de kilos. On parle de tonnes. Pendant que M. Rizzuto est en exil au Venezuela, il laisse les rênes de ses affaires à Montréal à son principal associé, Calogero Renda. »

Il faut savoir que celui-ci est le père de Paolo Renda et que ce dernier est le beau-frère de Vito Rizzuto. Alors que Rizzuto Sr. est au Venezuela, son fils Vito et Paolo sont derrière les barreaux pour un incendie criminel survenu à Boucherville dans un salon de coiffure appartenant à Paolo. En 1976, après avoir purgé sa peine, Vito Rizzuto rejoint son père au Venezuela, où il reste jusqu'en 1979.

Pendant ces années-là, Montréal est le théâtre de plusieurs assassinats qui déciment le clan Violi : « [En] 1976, un conseiller de Paolo Violi est tué alors qu'il sort d'une salle de cinéma après avoir vu le film *Le Parrain 2*, [...] en 1977, le plus jeune frère de Paolo Violi, Francesco, [est] assassiné [et] le 28 janvier 1978, c'est Paolo Violi lui-même qui [est] assassiné à son bar, le Reggio Bar. » Enfin, en 1980, le frère aîné de Paolo Violi, Rocco, est assassiné chez lui, dans la cuisine de sa résidence. « Dans des décisions aussi graves que l'élimination d'un membre d'un clan, explique Linda Féquière, ça prend absolument l'aval de la famille qui contrôle. Il n'y a aucun meurtre, aucune décision importante sans l'autorisation préalable de la famille qui contrôle, soit les Bonanno. »

C'est ainsi qu'au début des années 1980, la famille Rizzuto, avec à sa tête Vito Rizzuto, prend le contrôle du crime organisé à Montréal. Vito « réussit à faire régner la paix entre des sujets originaires de régions différentes en Italie [qui appartiennent à] différentes factions du crime organisé ». On assiste ensuite à « des jeux d'alliance » impliquant notamment d'anciens collaborateurs du clan Cotroni-Violi. Non seulement Vito Rizzuto sert de médiateur entre ces différentes factions, il « [s'associe] avec des groupes criminels de différents horizons comme les Hells Angels et les Irlandais du West End Gang [le gang de l'Ouest], en plus de la mafia sicilienne à New York ou en Italie, ainsi que la Ndrangheta [sans] oublier les Colombiens auprès de qui on s'approvisionnait abondamment en stupéfiants ».

Surviennent alors des événements qui vont mener à l'arrestation de Vito Rizzuto en 2004 et à son extradition aux États-Unis en 2006. À l'époque, Giuseppe (Joe) Massino est à la tête de la famille Bonanno, l'une des « Cinq familles » qui dominent le crime organisé italien de New York. En 1981, convaincu que trois de ses «capos» veulent prendre le pouvoir, il décide de les faire éliminer et fait appel, entre autres, à Vito Rizzuto. Une rencontre avec Massino est organisée, à laquelle sont conviés les «capos rebelles». Ce que ceux-ci ignorent, c'est que quatre hommes armés les attendent dissimulés dans un garde-robe : Vito Rizzuto, venu de Montréal ; Salvatore Vitale, qui est à l'époque le bras droit de Massino ; Gerlando Sciascia, surnommé «George from Canada» ; ainsi qu'un quatrième individu. Quelqu'un crie : «C'est un *hold-up*!» Les quatre hommes sortent alors du garde-robe, et les trois «capos» sont éliminés. Rizzuto et Sciascia regagnent ensuite Montréal.

«Quelque dix ans plus tard, il commence à y avoir des frictions entre Gerlando Sciascia, qui représente la famille des Rizzuto aux États-Unis auprès de la famille Bonanno, et Joe Massino. [...] Ce dernier demande à M. Vitale de faire disparaître M. Sciascia.» Une fois Sciascia éliminé, en mars 1999, Joe Massino envoie Vitale à Montréal avec pour mission de «calmer le jeu» auprès de la famille Rizzuto, chez qui la disparition de Gerlando Sciascia cause un certain émoi. Lorsqu'il rencontre Vito Rizzuto, Vitale lui cache que le meurtre a reçu l'aval de la famille Bonanno et lui offre de remplacer Sciascia en tant que représentant de la famille Bonanno au Canada. «Écoute, tu peux plutôt proposer cette place-là à mon père», lui répond Vito, qui a compris qui est à l'origine du meurtre.

Dès lors, explique Linda Féquière, il va s'instaurer une certaine «distance entre la famille Bonanno et la famille Rizzuto. Oui, on demeure sous la coupe de la famille Bonanno, mais vraiment à distance et du bout des lèvres». C'est d'ailleurs dans l'intérêt de chacun. «La famille Bonanno a laissé M. Rizzuto mener sa barque, étant donné qu'il devenait extrêmement influent au Canada et qu'il rapportait énormément d'argent, dont une partie était redistribuée à la famille Bonanno. Donc on lui laissait vraiment mener les règles du crime organisé traditionnel italien à Montréal, au Québec et au Canada comme il l'entendait.»

L'omertà est «l'art de parler sans rien révéler», rappelle la caporale Féquière. «Il ne s'agit pas seulement de ne rien dire [de compromettant], mais aussi [...] de parler en se faisant comprendre mais tout en en disant le moins possible. Par exemple, [dans] une conversation entre un couple, si la dame va dire à son conjoint : "Mon chéri, il te reste trois habits dans ton garde-robe", pour des oreilles néophytes ça peut sembler très ordinaire mais il faut savoir que les habits représentent des soldats. Donc l'omertà, ce n'est pas seulement le silence, [...] c'est aussi une façon de parler. Il faut parler à demi-mot. La règle, c'est vraiment le non-dit.» Cela signifie que s'ils sont reconnus coupables à tort, les membres du crime organisé italien ne doivent pas clamer leur innocence, mais garder le silence et purger leur peine. «Ça a changé un peu avec M. Massino, qui est devenu délateur [en 2003] pour les autorités américaines et qui a ensuite fait plonger M. Rizzuto. Mais ce sont des exceptions qui confirment la règle. Peut-être que ça a changé aussi chez les plus jeunes. Mais chez la vieille garde, on fait vraiment attention à ce qu'on dit.»

La scène du triple meurtre de 1981 à Brooklyn a été reconstituée au grand écran dans le film *Donnie Brasco*, sorti en 1997 et mettant en vedette l'acteur Johnny Depp dans le rôle de l'agent double Joseph Pistone. Celui-ci a véritablement infiltré la mafia new-yorkaise entre 1976 et 1981, et le long-métrage raconte sa mission.

Joseph Pistone, dont le travail a mené à l'arrestation de près de 200 personnes liées à la mafia italienne, a également été l'un des premiers témoins entendus à la commission Charbonneau. Il y a notamment décrit les règles d'honneur pour le moins singulières qui s'appliquent à la mafia. «Votre allégeance va d'abord à la mafia et ensuite à votre propre famille», avait alors déclaré l'agent double à la retraite.

«Vito a fait ce qu'il avait à faire, nous dit Andrew Scoppa en utilisant l'une de ses expressions favorites durant notre séjour en Catalogne. Il ne te regardait jamais de haut, peu importe qui tu étais et d'où tu venais. Et ça, c'est difficile à faire puisque dans ce milieu, tout le monde se croit meilleur que tout le monde. Alors quand un leader comme lui arrive, te traite pratiquement d'égal à égal même si t'es un *nobody* et qu'il te respecte, tu te sens important. Et en retour, tu vas le respecter. Vito avait une très forte présence et dégageait beaucoup de charisme et de confiance en lui-même. Il était surnommé "Le Grand" ("The Tall Guy") et il l'était.

«Quand les conflits ont commencé entre les Violi et les Rizzuto dans les années 1970, les Violi sont allés à New York voir la famille Bonanno pour tenter d'obtenir sa permission de se débarrasser des Rizzuto. Mais ça leur a été refusé. Ils se sont fait dire de se tenir tranquilles et de ne pas toucher aux Rizzuto. Probablement à cause de Paul Castellano, qui était très influent parmi les grandes familles criminelles à New York. La conjointe de Castellano était de la famille Manno, comme la femme de Nicolo Rizzuto. Alors la demande de Violi est sans doute venue aux oreilles de Vito et de son père. Ils ont ensuite fait ce qu'ils devaient : se débarrasser des Violi.

«C'est parce qu'elle avait rendu ce service aux Rizzuto que la famille Bonanno a appelé Vito pour venir l'aider à régler un problème à New York, le 5 mai 1981. Vito ne parlait jamais de ce qui est arrivé là-bas. Ce qui est fait est fait. C'est du passé. Pourquoi parler de quelque chose que t'as fait si c'est pour t'incriminer et que tout le monde le sache ? N'empêche que ça l'a propulsé à un autre niveau. Nick Sr. a personnellement donné son accord et il a envoyé son fils pour s'occuper du problème. C'était sa façon de montrer sa reconnaissance au clan Bonanno pour la faveur que celui-ci lui avait faite. En même temps, ils rendaient un précieux service aux grands patrons à New York et démontraient qu'ils méritaient de prendre le contrôle des affaires à Montréal.

« La notoriété de Vito a vite augmenté. Tout de suite après, il est devenu une célébrité dans la communauté italienne de Montréal. Les gens avaient beaucoup de respect pour lui. Comme s'ils se doutaient de ce qu'il avait fait sans en avoir la certitude. C'était quelque chose qui était su, mais dont personne ne parlait.

« D'ailleurs, quelques années après la sortie du film *Donnie Brasco*, entre 2000 et 2002, Johnny Depp est venu tourner un film à Montréal et il a rencontré Vito Rizzuto en personne, au resto Da Emma, dans le Vieux-Montréal ! Ils en ont probablement parlé, mais je n'en suis pas sûr...

« Vito a été préparé et formé par son père pour devenir le Parrain. Pour être le type d'homme qu'il a été. Les deux formaient une équipe père-fils. Mais Nick a toujours voulu que son fils occupe le trône du plus haut dirigeant. Nick a grandi en Sicile dans un environnement familial où son beau-père, Antonino Manno, surnommé "Don Nino", était l'un des plus influents [mafiosi]. Ça faisait partie intégrante de sa famille. Et cela a façonné l'éducation de Vito. À tel point que Nick a marié son fils à sa propre cousine pour pouvoir s'assurer que tout reste dans la famille. Pour que la famille demeure solidaire en tout temps et pour éviter que l'un finisse par trahir l'autre. Cette famille-là a été conditionnée à rester unie, coûte que coûte.

«Nick était très fier de son fils, de sa position, de sa notoriété au sein de la communauté italienne montréalaise. Le patriarche était un type très sérieux. Il ne l'a pas eue facile quand il était jeune. Sa personnalité n'était pas flamboyante, mais c'était un leader-né et les gens le respectaient beaucoup. Nicolo était du genre tranquille. Loin d'être aussi charismatique que son fils. Vito, quand il arrivait quelque part, tout le monde ne voyait que lui. Ils voulaient tous le saluer, lui parler. Il était tellement sociable, facile d'approche. Son père était un homme respectable, lui aussi, mais c'était un homme de peu de mots, qui venait d'une autre époque. De l'ancienne mode... Le vieux Nick disait toujours qu'il fallait respecter les plus démunis dans la société et prendre soin d'eux. Parce que les gens pauvres apprécient plus que nous ce qu'ils ont. Je sais qu'il en a aidé plusieurs sans rien demander en retour. Ça lui a valu le respect sans faille des gens moins fortunés de la communauté. Ils sentaient qu'ils lui devaient bien ça. La preuve, regarde tout le monde qu'il y avait à ses funérailles! Il savait qu'en ne demandant rien à ces gens-là, qu'ils allaient toujours le respecter. C'est plus important que de savoir qu'ils te doivent quelque chose.

«Alors que les Violi, c'était le contraire. Bien des gens les détestaient. Ils étaient là à cause de Vic Cotroni, et ils ne l'écoutaient même pas. Le problème de Vic, c'est qu'il était mal entouré. Son frère Frank? C'était un désastre. Mais c'était un bon gars, Vic. Alors, ce qui s'est passé, c'est que tout le monde qui gravitait autour des Violi et des Cotroni s'est rallié derrière les Rizzuto. Ils ont vu que Vito avait une meilleure capacité d'écoute que Violi. Et qu'il n'était pas salaud comme Violi. Les Violi faisaient cambrioler des maisons pendant que les gens étaient partis à la messe ou à un mariage! Quand tu fais des affaires de même et que tu traites le monde sans aucun respect, penses-tu que tu vas t'attirer le respect de la communauté? Non. D'ailleurs, ça a facilité la transition pour Vito quand il a pris le pouvoir.

« Vito était un peu comme un chef de parti politique. Il avait ses partisans, ses fidèles. C'était un rassembleur. Il avait des talents de leader. D'ailleurs, il aimait bien la politique. Les gens le respectaient mais un peu comme avec certains politiciens : ils allaient le voir en espérant qu'il allait pouvoir faire quelque chose pour eux, les aider à faire de l'argent, les mettre en contact avec quelqu'un pour pouvoir profiter d'une occasion d'affaire payante... C'était toujours une question d'argent en fin de compte.

« Non, il n'était pas en faveur de la séparation du Québec! Lui, c'était un partisan de l'unité, un rassembleur. Il pensait qu'on est toujours plus forts si on se tient ensemble. Peu importe d'où tu viens. Il pensait que tout le monde mérite d'avoir une chance de réussir dans la vie. Et qu'il y a toujours moyen de trouver un terrain d'entente. Alors, il n'était pas pour la séparation. Les politiciens qu'il aimait? C'était ceux qui lui faisaient faire de l'argent! Tout le monde les aime, ceux-là. Par exemple, ceux qui lui permettaient de construire dans un milieu humide ou qui s'arrangeaient pour lui vendre pas cher un terrain contaminé.

« Vito a fait beaucoup d'argent. Il en recevait ici et là, de la construction et d'ailleurs. À un certain moment, il faisait de l'argent avec les contracteurs qui lui envoyaient des millions de dollars. Mais Vito, c'était un vrai Père Noël...

«Vous pensez qu'à cause de son statut, de sa réputation, de sa tenue vestimentaire et de ses *connections* fortunées, le gars était plein de fric? Ce n'était pas la réalité. Au contraire. Ce sont les Caruana qui sont pleins de *cash*. Eux, ce sont les Wayne Gretzky de la coke et de l'héroïne! C'était les rois. Mais ce qu'ils ont, ça ne veut pas dire que c'était aussi à Vito. Plein de gens pensent que Vito est un *big shot* mais... Quand Alfonso Caruana allait parler à Vito, je peux te dire que Vito était tout ouïe. Il l'écoutait comme personne d'autre.

«Quand son père s'est exilé au Venezuela, Vito a flambé une fortune. Il ne portait que les plus beaux vêtements, les meilleures chaussures, il sortait toujours dans les endroits les plus réputés et dispendieux. Il était généreux et il donnait aussi beaucoup d'argent. Il dépensait sans compter. L'argent lui brûlait les doigts. Avant que son père revienne, il a même dû emprunter de l'argent. Vito a été obligé d'emprunter à plusieurs reprises. Vito avait même emprunté 2 millions de dollars *cash* à Paolo Gervasi...»

CHAPITRE 5
LE LIVRE

Le «*Book*»… Avant de rencontrer Scoppa, je n'avais jamais compris qu'on en revient toujours au fameux «Livre».

À un moment donné, alors que je lui posais des questions sur un mafieux, Andrew m'a dit: «Oui, lui, il a 5% du *Book*…» Pour passer à autre chose rapidement, je lui ai répondu: «Arrête de me parler de ça, du *Book* et des paris sportifs, du prêt usuraire…» C'est alors qu'il s'est fâché et m'a dit: «Veux-tu comprendre ou tu veux pas comprendre? Oui? *Well then, shut up and listen. The Book is everything. If you have the Book, you have the money. But there's also a good chance you'll get killed…*»

J'ai alors compris à quel point le *Book* est important. Malgré mon expérience de journaliste et l'intérêt que je porte au crime organisé, c'est une réalité dont je n'avais pas pris toute la mesure jusque-là. Même s'il semble y avoir une malédiction qui entoure le *Book* et qu'il arrive souvent malheur à son détenteur. À chaque rencontre, Andrew insistait sur l'importance du *Book*, et ce qu'il m'a dit ce jour-là s'est confirmé.

À travers les différents *cues* qu'il m'a donnés sur sa situation financière, j'ai compris qu'en 2014, Andrew valait à peu près 30 millions de dollars. Et que l'argent continuait à rentrer grâce à ses principales sources de revenus : le blanchiment d'argent avec sa compagnie d'ATM et les *business* de déchets qu'il avait avec son frère Roberto. « Tu sais, je peux multiplier mes revenus par deux tous les cinq ans », m'a-t-il dit un jour. Cela signifiait qu'il envisageait de doubler ses 30 millions d'ici 2020. J'étais surpris que son train de vie ne corresponde pas avec l'argent qu'il gagnait. Il semblait en fait appliquer lui-même la leçon qu'il nous donnera lors de notre séjour en Catalogne : l'importance d'être *low profile*. Il possédait alors un commerce de location de voitures et tous les véhicules qu'il conduisait avaient l'air d'être d'occasion. Sa maison à l'île Bizard n'avait rien d'extravagant, et question vêtements, c'était plus que sobre.

Malgré tout son argent, il lui arrivait de parler du Livre comme d'un objet de convoitise : « *God ! How I would love to have this Book !* » Et il poursuivait en me disant ce que valait à lui seul le livre des paris sportifs. Est-ce un hasard ? À l'époque où il m'en parle, qui sort de prison, essaie de ravoir le *Book* et se fait tuer ? Lorenzo « Skunk » Giordano. Qui l'a fait tuer ? Peut-être qu'Andrew y est pour quelque chose, du moins la police soupçonne-t-elle son frère Salvatore.

« Dans le milieu, on appelle ça tout simplement *the Book*, nous explique Scoppa – le Livre, en français. On devrait plutôt dire "Le Livre maudit"...

« À l'origine, c'est Paolo Gervasi qui détenait le Livre. Personne ne l'aimait, mais tout le monde lui devait de l'argent... Gervasi prêtait de l'argent à tout le monde et tout était consigné dans un livre. Le nom est resté. C'est un registre qui comprend tous les prêts et les paris sportifs clandestins. Des paris sur des sports comme le soccer, le football, le hockey, le basket-ball, la boxe... Combien ça vaut ? Entre 15 et 20 millions de dollars par année. Même 25 millions.

« Le Livre est maintenant administré sur Internet et par plusieurs "agents". Disons que tu es un agent. Tu as tes gars, le vendredi tu envoies ta liste de paris et l'argent des mises. Disons que l'un d'eux fait un pari : il m'envoie un message pour m'aviser qu'il mise tel montant sur telle équipe pour tel match. Et ainsi de suite. Alors tout est compilé et enregistré. J'ai le contrôle sur tout ce qui se passe. J'ai tous les noms ou les numéros des parieurs, tous leurs paris et l'argent en jeu. Les parieurs doivent m'aviser de leurs paris et m'envoyer l'argent de leur mise. Donc, à la fin de la semaine, je sais qui a gagné, qui a perdu. J'ai un relevé des mises qu'un parieur m'a déjà payées et je peux dire : "Hey, ce gars-là a perdu tant, où est le fric ? Ou ce gars-là a gagné, on lui doit tant..." Mettons qu'il prend une gageure avec toi, mais il n'a pas payé : je vais le savoir. Alors tes agents doivent se tenir à jour sur tous ceux qui doivent de l'argent et ceux à qui on en doit. Il faut de l'organisation pour gérer tout ça. Et c'est assez bien contrôlé. Les agents empochent un pourcentage des sommes misées et ils sont responsables d'administrer ces mises, ce qui est dû aux gagnants, les montants que les perdants doivent payer. En gros, c'est de la comptabilité. C'est un peu comme une Loto-Québec clandestine.

« C'est bien moins risqué que la dope. Écoute, la cocaïne, c'est du trouble. La cocaïne, c'est "de la chaleur", c'est de la pression policière. Les peines d'emprisonnement sont sévères si tu te fais prendre. J'ai plaidé coupable [en 2004] pour un complot d'importation de 2000 kg de coke et j'ai fait de la prison. J'étais coupable. Mais j'aurais pu gagner ma cause. J'ai plaidé coupable parce que j'ai écouté mon avocat...

« Mais si ton *business*, c'est les paris sportifs et les prêts usuraires, qu'est-ce que tu risques ? Ce n'est pas puni sévèrement par les juges. Tu ne te retrouveras pas dans la merde si tu te ramasses avec une accusation en cour. Mais c'est certain que tu vas l'être si tu te fais pincer avec des kilos de coke. C'est pour ça que les paris et le *shylocking* [prêt usuraire] sont si profitables.

« Est-ce plus payant que la drogue ? Bien sûr. Combien de kilos de coke tu devrais vendre pour arriver à te faire 20 millions de dollars de profits comme avec le Livre ? D'abord, la drogue, c'est beaucoup plus risqué. Tu dois prendre 40 000 $ de ta poche pour acheter chaque kilo et espérer faire 2000 $ de profit avec la revente, alors que tu pourrais prêter ces 40 000 $ et te faire 2000 $ juste avec les intérêts. Et tout ça sans aucun risque. Parce que, contrairement à la dope, tu ne risques pas de te faire saisir ton produit par la police parce qu'il n'y en a pas. Tout ce que tu as à faire, c'est de t'assurer que le gars à qui tu prêtes ton fric a un bon nom et qu'il est fiable, ou qu'il a quelqu'un pour l'endosser, ou encore qu'il possède des biens avec lesquels tu peux te rembourser dans le cas où il serait incapable de te payer. Bref, c'est un *business* beaucoup moins risqué que la drogue.

« Par exemple, en important 200 kg de coke, on fait environ 400 000 $ de profit, ou 2000 $ le kilo. Mais tu risques aussi de perdre 10 millions, soit le prix que tu vas payer tes 200 kg, si ton stock est saisi par la police ou les agents frontaliers en cours de route.

« Tu peux aussi avoir des partenaires dans d'autres groupes du crime organisé. Disons que tu es relié aux Irlandais : on va te donner un pourcentage pour t'occuper des paris [pris par les Irlandais]. Il y en a qui peuvent faire jusqu'à 40 ou 50 % des profits des paris. Mettons qu'Eric veut t'engager pour que tu t'occupes de tout : il va toucher 40 % des profits et il va t'en donner la moitié. Mais tout coule de la même source. Le truc avec le Livre, c'est de s'assurer que tout ton monde est satisfait pour que tout le monde reste avec toi.

« Et l'affaire avec les paris, c'est qu'il y a de grosses chances que tu finisses par avoir toi-même besoin d'argent. Alors tu empruntes à ceux qui détiennent le Livre... Donc, si j'ai le Livre, je fais des profits sur les paris ET sur l'argent que j'ai prêté aux parieurs. Qu'est-ce que tu veux de plus ? C'est le beurre et l'argent du beurre !

« À l'origine, donc, celui qui détient le Livre, c'est Paolo Gervasi, qui a longtemps été associé au clan Rizzuto. Il était propriétaire d'un bar de danseuses, le Castel Tina, à Saint-Léonard. Gervasi a conservé le Livre des années 1980 jusqu'au début des années 2000. Il l'a alors perdu aux mains de Lorenzo Giordano.

« Paolo Gervasi a eu un contrat sur sa tête pendant des années. Il a échappé à au moins deux tentatives avant de tomber. La première fois, Domenico Macri l'a blessé de plusieurs balles, le 14 août 2000. Macri s'est fait tuer en 2006. L'autre fois, en février 2002, une bombe était placée sous son Jeep.

« Son fils Salvatore s'est fait tuer avant lui, le 20 avril 2000. Salvatore Gervasi s'était rendu à un meeting au lave-auto d'un ami. Et qui l'attendait caché derrière la porte du bureau ? Lorenzo Giordano ! Ils l'ont tiré, ils ont nettoyé sa Porsche, ils ont mis le corps dans le coffre arrière et sont allés abandonner la Porsche à Saint-Léonard, pas loin de la résidence de son père, en guise de message.

« Lorenzo voulait avoir le *Book* afin d'impressionner tout le monde. Il ne s'en vantait pas, mais il devait lui-même une couple de 100 000 $ à Gervasi. Vito aussi, d'ailleurs. Il lui devait quelque chose comme 300 000 $. Gervasi a longtemps cherché à savoir qui avait tué son fils. Il paraît qu'il avait offert beaucoup d'argent à quiconque pourrait lui donner le nom des assassins et qu'il avait même engagé des détectives privés [...]. Ça en dérangeait plusieurs. Et ses relations avec les motards aussi.

« Finalement, Paolo Gervasi se fait tuer par Giuseppe "Ponytail" De Vito, le 19 janvier 2004, en face d'une pâtisserie rue Jean-Talon à Saint-Léonard. De Vito travaillait pour lui. Il a aussi travaillé avec moi mais plus tard. C'est terrible ce qui est arrivé ce jour-là. Il y avait un autre tireur avec De Vito. L'un était armé d'un .38 et l'autre d'un fusil à canon tronqué. Mais ils étaient postés de chaque côté de Gervasi. L'autre gars, Carmelo Tommasino, a reçu une balle dans le ventre lors de la fusillade. Ils voulaient l'amener à l'hôpital et le laisser en face de l'urgence pour qu'il puisse se faire soigner. Mais Carmelo a refusé. Il a dit : "SVP, achevez-moi, prenez soin de ma famille et enterrez mon cadavre, sans funérailles." De Vito l'a achevé. On ne sait pas où il a été enterré. Oui, c'est vraiment une histoire terrible...

« Après Gervasi, c'est donc Lorenzo Giordano qui a eu le Livre. Ça, tout le monde le sait dans le milieu. Il a même essayé d'acquérir en partie le Livre de Toronto, mais ça n'a pas fonctionné. À Toronto, le Livre a un nom : le "Platinum". Et il vaut plus qu'à Montréal, mais je sais pas combien. À Montréal, Lorenzo a aussi racheté les petites parts des "actionnaires minoritaires" du Livre pour en avoir le contrôle total. Il l'a gardé même après son arrestation dans [l'opération] Colisée [en 2007]. Et il a réussi à le garder jusqu'en 2012. Quand il l'a cédé, il n'avait plus le choix. Il était encore au pénitencier et il n'avait plus personne pour protéger ses gars sur le terrain.

« Maintenant, c'est "Steve Sauce" qui a le Livre », conclut Scoppa en faisant allusion à celui qu'il considère comme son pire ennemi dans la mafia montréalaise.

Les mafiosi qui auraient éliminé Paolo Gervasi et son fils Salvatore, d'après Andrew Scoppa, n'ont jamais été arrêtés ni accusés de ces meurtres, mais ils ont aussi connu un sort terrible.

Soupçonné d'avoir participé de près ou de loin à plusieurs meurtres, Giuseppe De Vito n'a cependant jamais été accusé de ce crime. Son assassinat, digne d'une mise en scène de la romancière Agatha Christie et des méthodes du tueur à gages de la mafia new-yorkaise Richard « Ice Man » Kuklinski, est un cas unique dans les annales du crime organisé québécois.

Le 22 novembre 2006, alors qu'il se trouve dans la région de Québec, De Vito apprend par sa femme que les policiers de la GRC effectuent une perquisition à leur luxueuse résidence de Laval. Il compte parmi la centaine de suspects ciblés dans l'opération Colisée, la plus importante rafle antimafia de l'histoire du Canada. Le mafieux, qui doit son surnom de «Ponytail» à sa queue de cheval, se lance alors dans une cavale de près de quatre ans pendant lesquels il vivra caché sous des noms d'emprunt entre le Québec et Toronto.

Le 31 mars 2009, Amanda et Sabrina, ses deux filles, respectivement âgées de 9 et 8 ans, sont retrouvées sans vie au domicile familial, alors que De Vito est toujours en fuite. La mère est arrêtée et inculpée des meurtres.

«Ponytail» est finalement arrêté le 4 octobre 2010, alors qu'il sort d'un gymnase où il s'entraîne à Laval. Il a perdu une trentaine de kilos et il est méconnaissable au point que les policiers sont convaincus qu'il s'est fait refaire le visage, notamment le nez, pour ne pas se faire reconnaître. En juin 2012, il écope de 15 ans de pénitencier après avoir été jugé coupable de complot d'importation de 218 kg de cocaïne à partir de l'aéroport Montréal-Trudeau et de gangstérisme.

Le 8 mai 2013, De Vito est appelé comme témoin au procès de sa conjointe, accusée d'avoir tué leurs deux enfants. Il relate au tribunal qu'il a appris la mort de ses deux filles à la radio, mais qu'il n'a pas assisté aux obsèques, sachant que les policiers l'attendaient sur place. «Je me blâme, déclare-t-il devant le jury. J'aurais pu être là. Peut-être que j'aurais pu faire quelque chose. Comme un père...»

Depuis 2006, De Vito s'était rebellé contre le clan Rizzuto, qu'il tenait pour responsable de ses malheurs. Au moment de son arrestation, il faisait partie d'une alliance de chefs mafieux déterminés à déloger le clan Rizzuto. Cette alliance était dirigée par Salvatore Montagna, un ex-leader de la famille mafieuse new-yorkaise Bonanno, par le caïd Raynald Desjardins et par Vittorio Mirarchi, le protégé de ce dernier.

Dans la nuit du 8 juillet 2013, deux semaines après que sa conjointe est déclarée coupable du double meurtre de leurs filles, De Vito, 46 ans, est découvert sans vie dans sa cellule du pénitencier à sécurité maximum de Donnacona. Il est allongé par terre, «couché sur le dos comme s'il faisait une sieste», relate une source au *Journal de Montréal*. Son corps ne porte aucune trace de violence. Quatre mois plus tard, *Le Journal* révèle qu'il a été empoisonné au cyanure. Selon une source du Bureau d'enquête de Québecor, le poison silencieux aurait été incorporé à des somnifères que De Vito s'est procurés en contrebande auprès d'un codétenu. Au printemps 2014, la Sûreté du Québec confirme qu'elle écarte la thèse du suicide et qu'elle mène une enquête pour meurtre. À l'automne 2020, personne n'a encore été arrêté.

Quant à Lorenzo Giordano, il n'a jamais été arrêté ni accusé en lien avec le meurtre de Salvatore Gervasi, mais il a connu le même sort que De Vito.

Giordano traînait la réputation d'être un dur à cuire au tempérament bouillant et il imposait la crainte dans le monde interlope. Il faisait partie des six mafiosi les plus hauts gradés du clan Rizzuto visés dans l'enquête Colisée de la GRC, entre 2004 et 2006. Durant cette période, les policiers fédéraux avaient répertorié une foule d'actes de violence attribués à celui qu'on surnommait «Skunk» (Moufette) en raison de sa chevelure noire et blanche.

Le 18 avril 2004, Giordano pète les plombs au restaurant Globe du boulevard Saint-Laurent, où il tabasse un trafiquant d'héroïne d'origine iranienne qui écoule sa drogue sur un territoire réservé à la mafia, avant de sortir une arme à feu et de lui tirer une balle dans les testicules. Cela lui vaut des remontrances de Paolo Renda, le beau-frère et conseiller de Vito Rizzuto, qui est enregistré à son insu en train de dire à Giordano de cesser d'attirer ainsi l'attention en public et de diminuer sa consommation d'alcool pour mieux garder son calme.

Le 23 août 2006, alors qu'ils se trouvent au resto-bar Cavalli, sur la rue Peel, Giordano et un autre homme fort de la mafia, Francesco Del Balso, sont mêlés à une escarmouche avec un homme d'affaires associé aux Hells Angels, Charles Huneault. «Il y a eu une dispute entre ces individus, relate le caporal Vinicio Sebastiano, de la GRC, devant la commission Charbonneau en 2012. M. Huneault aurait pris M. Del Balso à la gorge. Mettre la main sur un haut gradé de la mafia, ça ne se fait pas. Donc, M. Giordano serait sorti à l'extérieur du bar et aurait fait feu sur le véhicule de M. Huneault, qui était une Porsche. Il s'est fait arrêter, mais les accusations ont été retirées» parce que Huneault n'a pas porté plainte.

À l'automne 2005, Giordano et Del Balso auraient aussi donné une raclée à l'homme d'affaires John Xanthoudakis, président du groupe financier Norshield, qui a floué plus de 2000 investisseurs. Ces derniers, dont quelques proches de la mafia, y ont perdu plusieurs dizaines de millions de dollars. Enregistré à son insu par la GRC, Del Balso s'est vanté que Xanthoudakis «pissait le sang» et que «son visage a ouvert comme une crêpe à cause de sa chirurgie plastique». Ce même Xanthoudakis a ensuite été condamné à huit ans de pénitencier pour son rôle dans le scandale frauduleux impliquant la maison de production Cinar et son fondateur Ronald Weinberg.

Giordano et Del Balso sont connus pour diriger le réseau clandestin de paris sportifs du clan Rizzuto. Selon les derniers chiffres connus, obtenus lors de l'opération Colisée menée par la GRC, entre le 1er octobre 2004 et le 19 mars 2006, au moins 1609 joueurs ont fait plus de 820 000 paris sur le site Internet de ce réseau hébergé par des serveurs situés dans la réserve mohawk de Kahnawake, ainsi qu'au Belize, un petit pays d'Amérique centrale alors considéré comme un paradis fiscal. Selon la GRC, pendant ces 18 mois, les paris représentent 390 millions de dollars, et le réseau, qui emploie jusqu'à 58 agents pour prendre les mises et les comptabiliser sur Internet, réalise un profit net de 26,8 millions, et ce, même si la saison 2004-2005 de la Ligue nationale de hockey (LNH) a été annulée en raison d'un conflit de travail opposant les joueurs et les propriétaires. Pendant l'écoute électronique effectuée lors de l'opération Colisée, Giordano et Del Balso se plaignent des effets du lock-out de la LNH sur les paris sportifs. « Le hockey est le meilleur sport pour le *bookmaking* », affirme Giordano.

Dans ces enregistrements, les deux hommes discutent également des corrections qu'ils ont infligées à certains parieurs dont la dette de jeu s'élève à quelques centaines de milliers de dollars. Le 17 janvier 2005, au club social Consenza où ils rencontrent leur patron Francesco Arcadi, ils évoquent le cas de Liborio Cuntrera, dont le père, Agostino Cuntrera, surnommé « le Seigneur de Saint-Léonard », est un proche de Vito Rizzuto. Cuntrera fils, surnommé « Pancho », a perdu 150 000 $ au jeu mais ne veut pas rembourser sa dette. Ils se plaignent de ce que le père ne veut pas avoir à faire à eux si le fils a des dettes et dit qu'il ne paiera pas lui non plus. « Il est en train de virer notre *business* à l'envers », rage Lorenzo Giordano, qui a décidé de mettre le nom du jeune Cuntrera sur la liste noire des parieurs exclus du réseau.

En novembre 2006, la GRC procède à une centaine d'arrestations pour boucler l'opération Colisée. Cinq des six présumées têtes dirigeantes du clan Rizzuto sont ainsi arrêtées : le patriarche et père du parrain Vito Rizzuto, Nicolo Rizzuto, son gendre et *consigliere* de la mafia, Paolo Renda, le chef intérimaire des opérations de la mafia, Francesco Arcadi, l'un de ses deux lieutenants, Francesco Del Balso, sans oublier Rocco Sollecito, le responsable du secteur de la construction pour le clan Rizzuto.

La GRC a filmé Rocco Sollecito à son insu à 85 reprises en train de percevoir une « taxe » - de 2,5 % selon l'ex-entrepreneur Lino Zambito, un témoin vedette de la commission Charbonneau - sur des contrats publics octroyés par la Ville de Montréal, taxe que de nombreux entrepreneurs vont verser en argent comptant à la mafia à leur quartier général, le café Consenza, en 2004 et 2005. Sur des images diffusées en 2012 devant la commission Charbonneau et qui ont frappé l'imaginaire des Québécois, on voit Nick Rizzuto Sr. accepter sa part et camoufler les liasses d'argent dans ses chaussettes.

Lorenzo Giordano, l'une des six têtes dirigeantes du clan Rizzuto et bras droit du chef des opérations Francesco Arcadi, manque alors à l'appel. La police le capture finalement six mois plus tard à Toronto, dans le luxueux immeuble à condos où il se terre. Comme De Vito, il est cueilli dans un gymnase où il va s'entraîner. À l'hiver 2009, il est condamné à 10 ans et 3 mois d'incarcération, en plus de perdre sa maison de 1,1 million de dollars, sa Ferrari, sa Porsche et sa BMW au profit de l'État et du fisc.

Comme l'apprend alors notre Bureau d'enquête, au début de 2015, alors qu'il est toujours incarcéré, Giordano se serait fait offrir 25 % des recettes du Livre qu'il a perdu pendant sa détention. Il s'agit d'un compromis du chef intérimaire de la mafia montréalaise et détenteur du Livre, Stefano Sollecito, celui que Scoppa appelle «Steve Sauce». On peut supposer que Sollecito veut ainsi acheter la paix avec celui qui est considéré comme le numéro 3 du clan Rizzuto au moment de son arrestation dans l'opération Colisée. Mais en mai de la même année, *Le Journal de Montréal* rapporte que Giordano, Del Balso et Francesco Arcadi, qui a déjà été leur patron et chef intérimaire du clan Rizzuto, auraient l'intention à leur sortie du pénitencier de «reprendre le contrôle» de la mafia montréalaise, qui est alors décimée par des luttes de pouvoir internes et des années de règlements de comptes. Autrement dit, Giordano ne se contenterait pas d'avoir seulement une part minoritaire du Livre.

Lorenzo Giordano obtient sa libération conditionnelle en décembre 2015. «Je ne cherche pas d'amis. Je veux juste refaire ma vie. Écrivez ça. Je suis tranquille. Je fais ma vie avec ma famille. J'ai perdu dix ans de ma vie, je veux les reprendre. *That's it, that's all*. Le reste, c'est toutes des histoires inventées, vous le savez», déclare-t-il au journaliste Hugo Joncas, de notre Bureau d'enquête, qui le rencontre brièvement en face de la maison de transition de la rue Sherbrooke où Giordano a l'obligation de résider.

Lorenzo Giordano n'a pas l'occasion de remettre la main sur le fameux Livre, qu'il a pris à Paolo Gervasi, puis perdu pendant son incarcération. Le matin du 1er mars 2016, le mafioso, qui a pris l'habitude de s'entraîner régulièrement au Carrefour Multisports de Laval, est attendu dans le stationnement par un tireur qui ne lui laisse aucune chance.

Des années plus tôt, les Hells Angels avaient déjà essayé, en vain, d'éliminer Paolo Gervasi et son fils Salvatore, durant la fameuse guerre des motards. Non pas à cause du Livre, mais parce que le duo de mafieux avait osé frayer avec les ennemis jurés des Hells, le gang des Rock Machine.

Pour mieux comprendre le contexte de ces événements, voici un extrait d'une déclaration faite à l'Escouade régionale mixte de lutte contre le crime organisé de Montréal par le délateur Stéphane Sirois, un ex-membre des Rockers, l'ancien club-école des Hells Angels du chapitre Nomads et parrainé par Maurice «Mom» Boucher, en date du 20 juin 2000:

> En 1996, à l'été, on était encore en guerre contre les Rock Machine [RM]. La guerre est ouverte même contre leurs relations. T'en vois un, tu le tues. Si tu vois une relation des RM et que l'opportunité se présente, tu le tues. C'était connu de tous. C'est des choses qui étaient mentionnées en meeting. Le mot s'était passé de checker les Gervasi, père et fils. Ils étaient en affaires avec les Rock Machine. En stupéfiants et toutes sortes de choses. C'était des très bonnes relations des Rock Machine. Moi et René Charlebois, on a parlé de passer [les] Gervasi, propriétaires du Castel Tina au coin de Jean-Talon et Viau. [...] On est allés quelques fois au Castel Tina mais on les a pas vus. On était tous les deux armés. On savait que le père avait une Jaguar et son fils une Porsche noire. On a fait des vérifications à Saint-Léonard au domicile où on savait qu'ils demeuraient mais l'opportunité s'est jamais présentée. La maison, c'était une grosse maison avec garage double sur un coin de rue. On a aussi vérifié un des bars qui appartenaient à leur famille sur Jean-Talon, soit le Marlboro, mais on les a jamais trouvés. Un moment donné, pendant qu'on était en train de faire ça, c'est moi

qui a [*sic*] conduit Paul Fontaine et André Tousignant, alors des prospects HA [Hells Angels] Nomads, au Castel Tina. Je sais pas ce qui est arrivé mais fallait qu'ils aillent parler à Salvatore [Gervasi], ils avaient un meeting de préparé. Je suis allé les reconduire là et j'ai attendu 20-30 minutes. Ils sont ressortis pis après ça, la job est tombée morte, les Gervasi n'étaient plus sur la liste noire comme on dit. À ce que j'avais entendu dire si je me souviens bien, ils n'étaient plus en affaire [*sic*] avec les Rock Machine.

On savait tous que si on en passait un ce serait bien vu par l'organisation [des HA Nomads]. Ce que tu faisais pour montrer [à ton supérieur] que c'est toi qui l'avais fait [le meurtre] sans être obligé de conter les détails et pour que tu paraisses bien dans l'organisation et pour gagner des points, bien, le lendemain quand *Le Journal de Montréal* sortait, tu prenais la page couverture, pis tu l'emmenais sans dire un mot et tu la mettais sur la table devant cette personne-là...

CHAPITRE 6
LE SECRET

Les rites initiatiques par lesquels un soldat de la mafia devient un véritable homme d'honneur ont été expliqués à plusieurs reprises devant les tribunaux. Le journaliste Edmund Mahony, après avoir assisté à l'audience au cours de laquelle une cour de district américaine diffusa pour la première fois de l'histoire un ruban sur lequel était enregistré le fameux serment, décrit le rituel en ces termes dans l'édition du 4 juillet 1991 du *Hartford Courant*.

Le parrain prend le doigt qui presse la gâchette [l'index] du futur affranchi et le perce de manière à faire perler quelques gouttes de sang sur une image d'un saint. L'image est placée ensuite dans les mains de l'initié et le parrain y met le feu. L'initié doit alors prêter serment et jurer l'omertà. La formule peut varier d'une famille à l'autre, mais généralement l'initié prononce le serment suivant : «*As this card burns, may my soul burn in Hell if I betray the oath of Omerta.*»

On pourrait le traduire ainsi en français : « Comme cette carte qui brûle, que mon âme brûle en enfer si je trahis le serment d'omertà. » Ce rite d'initiation appartient maintenant au folklore, nous dit Scoppa. À Montréal, du moins. « De nos jours, les gens préfèrent se vanter des crimes qu'ils ont commis. Parce que ça leur donne de la prestance. Tu veux dire aux autres : "Ça, c'est moi qui l'ai fait !" »

Aujourd'hui, l'omertà est juste un mythe, selon Andrew. Cela fait partie du passé, et ces jours-là sont révolus. « Dans le bon vieux temps, ça existait. C'était une règle selon laquelle tu ne devais pas parler de ce que tu avais fait comme activité criminelle. Ni de ce que tu savais du milieu criminel. »

Les relations entre la mafia et les motards ne datent pas d'hier, tient également à nous rappeler Scoppa. On a tendance à l'oublier, mais les motards et la mafia italienne travaillaient déjà ensemble durant le règne de Vito Rizzuto, « le bon vieux temps » comme il l'appelle.

« Avant qu'ils tombent en guerre, tous les motards travaillaient pour les Italiens. Les motards s'occupaient de faire toutes les jobs sales pour le compte des Italiens. Mais comme tout le monde peut voir, ce sont maintenant les Italiens qui travaillent pour les motards. Les vieux doivent se retourner dans leur tombe. Vito était un homme fier. S'il voyait ça aujourd'hui... »

Extrait de l'article de Michel Auger publié dans *Le Journal de Montréal* le 12 septembre 2000 :

Pagaille chez les caïds

Une série de meurtres, d'attentats ratés et des disparitions de très gros poissons au sein des Hells Angels et de la mafia laisse croire que la pagaille est prise en haut lieu criminel.

Deux des plus importants membres des Nomads, la super équipe des Hells Angels, éliminés, un des plus gros importateurs de cocaïne du Canada abattu, un homme d'affaires proche des motards et de la mafia attaqué et raté en pleine rue sont parmi les événements relevés.

La police privilégie la piste de la guerre des motards pour expliquer le règlement de comptes de Normand «Biff» Hamel, le membre des Nomads abattu à Laval en avril. La police cherche au sein des Rock Machine les tueurs de «Biff» Hamel.

Toutefois, c'est dans la haute direction même des Hells Angels que les détectives placent les tueurs de Louis Roy, surnommé «Melou».

Ce très gros nom des Hells, qui était le principal contact des membres de la bande avec la mafia, n'a pas été revu depuis juin.

Ses amis, tout comme sa famille, le croient mort. Melou était apparemment le plus riche des Hells. Sa fortune était évaluée à plusieurs millions de dollars.

«Il voulait couper les prix», dit une source pour expliquer son départ.

La police demeure perplexe face à ces meurtres, tout comme à la vague de disparitions plus mystérieuses les unes que les autres concernant trois individus reliés à la bande des Rockers, la filiale montréalaise des Hells. [...]

Un autre gros nom du milieu montréalais, Paolo Gervasi, propriétaire de bars de Saint-Léonard, a été victime d'une tentative de meurtre le 14 août dernier.

Plus tôt, en avril, son fils Salvatore avait été assassiné et placé dans sa voiture abandonnée devant la résidence du père.

S'agissait-il d'un message de la mafia ou des motards?

Paolo Gervasi était propriétaire du Castel Tina de la rue Jean-Talon. Il était au mieux avec les parrains locaux, les Nicola et Vito Rizzuto.

Trois jours avant l'attentat sur sa personne, deux jeunes Italiens actifs dans Saint-Léonard quittaient un café du boulevard Langelier en fin de soirée.

Giuseppe Ciancio, 32 ans, et son copain Gianfranco Ferrara, 34 ans, n'ont jamais été revus depuis la fin de soirée du 11 août. Tous deux étaient reliés par la police à la bande des Rockers, les exécutants des Hells.

On les disait aussi reliés à l'organisation de Melou Roy. [...]

Le lendemain de la publication de cet article, Michel Auger est atteint de six projectiles de calibre .22 dans le stationnement du *Journal de Montréal*, alors qu'il prend son ordinateur portable dans le coffre de sa voiture. Le journaliste affecté à la couverture du crime organisé a survécu à cette tentative de meurtre orchestrée par les motards, alors que la guerre sanglante que se livrent les Hells et les Rock Machine depuis six ans tire à sa fin.

Ni le tireur ni les commanditaires ne peuvent être accusés, mais les policiers parviennent tout de même à faire condamner un armurier des Hells, Charles-Michel Vézina, pour avoir fabriqué et fourni l'arme du crime au tireur.

L'ex-Hells Angels Sylvain Boulanger confirme aux policiers que les Nomads, le chapitre d'élite regroupant les plus influents Hells au Québec, fondé par Maurice « Mom » Boucher le 24 juin 1995, « étaient derrière cet attentat ». Auger était « trop proche de la police » à leur goût et ses reportages nuisaient à leur image, selon ce que déclare ce délateur de l'opération SharQc à la Sûreté du Québec en 2006.

Mais, d'après les confidences qu'Andrew Scoppa nous livre quelques mois avant sa mort, cela n'expliquerait pas tout.

Selon les dires de Sylvain Boulanger, durant la guerre des motards, lui et d'autres Hells ont soudoyé des taupes travaillant à la Société de l'assurance automobile du Québec (SAAQ) afin d'avoir accès à des banques de données confidentielles, ce qui leur a permis de connaître les numéros des plaques d'immatriculation, les modèles de véhicules et les adresses personnelles des Rock Machine et de leurs autres cibles. L'une de ces taupes, Ginette Martineau, employée dans un point de service privé de la SAAQ, a ainsi vérifié sans justification le numéro de plaque de Michel Auger deux mois et demi avant l'attentat dont celui-ci a été la cible. Elle et son mari, Raymond Turgeon, employé au même endroit, ont écopé de peines de pénitencier pour avoir vendu aux Hells les adresses de plusieurs personnes à 200 $ la pièce, dont celles d'une demi-douzaine de motards rivaux qui ont fini tués ou blessés par balles.

L'attentat aux dépens de Michel Auger a été « une grave erreur », affirme cinq mois plus tard le vétéran Hells Angels David « Wolf » Carroll à des enquêteurs de la Sûreté du Québec qui tentent de le convaincre de collaborer avec eux pour l'opération Printemps 2001. Comme Louis « Melou » Roy, Carroll est membre des Nomads. Mais la violence commandée par Boucher à cette époque va « trop loin » pour lui. « Je n'aurais jamais fait une chose pareille. Ce n'est pas tout le monde qui était au courant et d'accord avec ça », ajoute-t-il à propos des meurtres des agents correctionnels québécois Diane Lavigne et Pierre Rondeau, tués sur l'ordre de Boucher en 1997 pour déstabiliser les représentants du système judiciaire et de la sécurité publique, qu'il voit comme des ennemis à abattre.

Cette escalade de la violence commence en 1994 lorsque Boucher et sa bande entreprennent d'évincer les motards concurrents et les trafiquants indépendants du marché de la drogue, à Montréal et en région. « La guerre est en train de pogner au Québec », dit « Melou » Roy à Boulanger, dans un hôtel de San Francisco où ils participent à un rassemblement mondial des Hells, après avoir appris au téléphone que leur gang a été la cible d'une série d'attaques armées, le 13 juillet 1994.

« Mom Boucher ne respectait pas les ententes verbales qu'on avait toujours eues avec eux. Il s'est mis à gruger nos territoires, et les vendeurs de dope des Hells s'installaient dans nos bars. On a décidé de partir en guerre», explique aux policiers Marcel Gauthier, un membre des motards Devils Disciples devenu poseur de bombes pour le clan rival des Hells.

Cette guerre prend fin en juin 2002 après que les Hells ont éliminé toute compétition dans le milieu des motards criminalisés au Québec. Elle a fait au moins 165 morts, dont 9 victimes innocentes, en plus de 181 blessés, dont 20 innocents.

Personne n'était à l'abri de cette violence meurtrière qui, parfois, a aussi mené à des purges internes dans les rangs des Hells. André «Toots» Tousignant, l'un des hommes de main des Hells qui avaient participé aux assassinats des deux agents correctionnels, a été l'une de ces victimes. Les Nomads craignaient qu'il devienne délateur comme son complice qui avait assassiné Diane Lavigne, Stéphane «Godasse» Gagné, dont les confessions ont ensuite fait condamner «Mom» Boucher à l'incarcération à perpétuité en 2002. Tousignant a été criblé de balles, puis ses assassins lui ont sectionné les doigts avant de se débarrasser de son corps, en espérant que la police ne pourrait l'identifier par ses empreintes digitales. Ses restes ont été retrouvés le 27 février 1998 à Bromont.

En 1996, ce même Tousignant était allé sommer le fils de Paolo Gervasi, Salvatore, d'arrêter de faire affaire avec les Rock Machine, en particulier avec les frères Plescio, deux membres fondateurs des Rock Machine qui ont grandi à Saint-Léonard, dans le même quartier que Gervasi et son père.

Salvatore Gervasi était proche d'un des membres fondateurs des Rock Machine les plus influents, Tony Plescio. Les Hells ont commandité l'assassinat de ce dernier, tué de plusieurs balles à la tête alors qu'il quittait une fête d'enfants dans un restaurant McDonald's du boulevard Pie-IX à Montréal-Nord, sous les yeux de sa conjointe et de leur fils de 2 ans, à l'automne 1999.

Son frère aîné, Johnny Plescio, lui aussi membre fondateur des Rock Machine, avait connu le même sort un an auparavant, à sa résidence de Laval. Le 8 septembre 1998, pendant qu'il regardait la télévision dans son salon, les tueurs ont sectionné le câble à l'extérieur de la maison. Quand il s'est levé pour s'approcher de la télé et qu'il est passé devant une fenêtre, le motard a été atteint par 16 projectiles tirés avec des fusils-mitrailleurs automatiques. Selon ce que le délateur Boulanger a dit aux policiers, les Hells qui ont pensé à ce stratagème s'en seraient ensuite vantés lors d'un party. Les policiers ont ensuite retrouvé deux armes de marque Cobray dans un véhicule incendié abandonné par les suspects dans le secteur. Ce modus operandi portait la signature des Hells pendant la guerre des motards.

Peu de temps auparavant, les médias rapportaient le meurtre du fils d'un célèbre mafioso montréalais que Johnny Plescio avait averti de ne plus fréquenter les Hells Angels et les membres de leur club-école à Laval, les Death Riders. Le 23 août 1998, à Repentigny, Paul Cotroni, fils de Frank Cotroni et neveu de l'ancien parrain de la mafia montréalaise Vincenzo « Vic » Cotroni, tombait sous les balles du tueur à gages des Rock Machine, Gérald Gallant.

Deux jours plus tard, en page 3 du *Journal de Montréal*, Michel Auger écrivait que Paul Cotroni « fréquentait souvent les membres de l'organisation des Hells Angels ». « Il avait assisté à deux mariages de motards depuis un an, dont celui du Hells Scott Steinert qui a disparu de la circulation quelques semaines après de très grosses noces », ajoutait le reporter dans son texte accompagné d'une photo récente de Paul Cotroni posant en compagnie du boxeur Dave Hilton.

Sept mois plus tard, les restes du Hells Scott Steinert - mieux connu pour avoir racheté l'ancien «château des Lavigueur», du nom de la famille qui avait remporté 7,6 millions de dollars à la loterie 6/49 en 1986, sur l'île aux Pruches - étaient retrouvés dans le fleuve Saint-Laurent à la hauteur de Saint-Nicolas sur la rive sud de Québec. «Les tueurs se sont acharnés sur la victime avec une rage peu commune», notait le coroner dans son rapport.

Selon les déclarations à la Sûreté du Québec du délateur Sylvain Boulanger, Steinert et son garde du corps, Donald Magnussen, avaient été convoqués à un faux meeting au repaire du gang à Sorel, le 4 novembre 1997, où des Hells les avaient tués à coups de marteau sur la tête avant de jeter leurs corps dans le fleuve. Pourquoi? Steinert «tenait tête» à d'autres Hells plus influents que lui, selon Boulanger. Peut-être, nous dit Andrew Scoppa. Mais le chef mafieux a une tout autre explication...

Dans l'édition du *Journal de Montréal* où il relate l'assassinat de Paul Cotroni, Auger signe un autre article intitulé «La mafia sicilienne toujours première» qui va s'avérer pour le moins prémonitoire:

La mafia sicilienne est toujours la principale faction du crime organisé au Canada et constitue maintenant une menace pour la sécurité nationale vu la corruption qu'elle utilise pour exercer son influence sur les dirigeants politiques et financiers. Cette conclusion étonnante fait partie du rapport annuel que vient de publier le Service canadien de renseignements criminels (SCRC), une création des grandes forces policières du pays en vue de suivre les activités des criminels hautement structurés.

Au Québec, le rapport soutient que la politique d'intimidation des bandes de motards visant l'appareil judiciaire constitue la tendance actuelle la plus dommageable. […]

En juin 2000, les Nomads concluent un marché avec le clan Rizzuto afin de se partager les territoires de vente de cocaïne sur l'île de Montréal. La mafia garde la mainmise sur Saint-Léonard, Ahuntsic, Rivière-des-Prairies, Saint-Michel, Anjou et Villeray, tandis que les Hells contrôlent le reste du marché, selon des documents judiciaires.

Surtout, ils s'entendent sur une augmentation de 20 % du prix du kilo de coke, dorénavant fixé à 50 000 $, tandis que le prix du quart de gramme est porté à 25 $. Au fil des ans, les Hells sont devenus de grands importateurs de drogue et ils peuvent rivaliser avec la mafia à ce chapitre. Selon la police, Gerald Matticks, le caïd du gang de l'Ouest, est alors le principal fournisseur de la bande de son camarade « Mom » Boucher. Grâce à ses contacts, Matticks facilite l'entrée au port de Montréal d'au moins 33 tonnes de haschisch et de 700 kg de cocaïne entre 1998 et 2001, selon l'enquête Printemps 2001, ce qui lui a rapporté des millions de dollars mais lui a aussi valu d'être condamné à 12 ans de pénitencier. Matticks, qui déclare faillite en 2007 alors que le fisc lui réclame plus de 10 millions de dollars, est identifié dans les livres de comptabilité des Nomads par le surnom que « Mom » Boucher lui a donné : « Bœuf ». C'est vraisemblablement parce qu'il est à l'époque propriétaire d'un abattoir et d'un commerce de vente de viande en gros, où les policiers ont suivi Boucher alors qu'il allait le rencontrer, à Saint-Hubert, sur la Rive-Sud.

Mais ce nouveau partenariat d'affaires entre les Nomads et la mafia ne semble pas plaire au numéro 2 des Hells Angels, Louis « Melou » Roy, que la police considère alors comme le motard le plus riche du Québec.

Alors qu'il est déjà bien branché sur les cartels colombiens de la cocaïne, le narcotrafiquant originaire de Jonquière, au Saguenay, décide de continuer à « opérer sa *business* tout seul », ce qui « ne [fait] pas l'affaire des autres Nomads », selon les déclarations de Boulanger à la Sûreté du Québec. Le 23 juin 2000, la veille du cinquième anniversaire de la fondation des Nomads, Roy disparaît mystérieusement. Sa Mercedes noire est retrouvée dans les jours suivants au centre-ville de Montréal avec des contraventions sur le pare-brise.

« Il voulait couper les prix », selon une source que cite Michel Auger dans son article du *Journal de Montréal* du 12 septembre 2000, où il évoque aussi les disparitions de deux jeunes Italiens associés à l'ex-numéro 2 des Hells, ainsi qu'une tentative de meurtre contre le mafieux Paolo Gervasi, toutes survenues en l'espace de deux mois. Pourquoi les motards ont-ils attaqué Michel Auger dès le lendemain ? S'était-il approché de trop près d'un autre secret du crime organisé ? C'est bien possible, d'après les confidences d'Andrew Scoppa.

« Vito [Rizzuto] n'était pas fou de Mom [Boucher] et de sa gang, dont les gars faisaient la pluie et le beau temps durant la guerre des motards. Ils pilaient sur les pieds d'un tas de monde et il n'y avait pas moyen d'arrêter leur guerre contre les Rock Machine. Même s'il ne le voulait pas, Vito savait qu'à un moment donné, il allait devoir s'en mêler d'une façon ou d'une autre pour que ça finisse par cesser. Alors ils ont conclu une sorte d'alliance. Et tout le monde a fait le ménage dans sa cour. Pour satisfaire les Hells, les Italiens se sont engagés à ne pas appuyer ni aider les Rock Machine d'aucune façon. En plus, les Italiens et les Hells se sont entendus pour éliminer certains éléments devenus indésirables dans leurs camps respectifs. Un peu comme s'ils avaient dit : on va vous débarrasser d'un tel dans notre gang si vous pouvez nous débarrasser de ceux-là dans la vôtre. Et c'est comme ça qu'ils ont conclu l'échange impliquant "Melou" [Roy] et Gervasi. Tout ça était relié. Vous ne le saviez pas, hein ? C'était un secret bien gardé...

«Les motards ont passé Melou à condition que la mafia s'occupe des Gervasi, qui aidaient les Rock Machine. Alors ils ont conclu un accord secret et se sont échangé ces purges internes. Et Vito s'est assuré par la suite que plus personne n'allait aider les Rock Machine.

«Melou a été vu entrer dans un abattoir et il n'en est jamais ressorti. Ils ont dû le passer dans un moulin à viande... C'était un abattoir contrôlé par Gerald Matticks, qui était d'ailleurs présent au meeting. Melou ne savait pas ce qui l'attendait là. Il ne s'est pas méfié parce que d'autres motards qu'il connaissait bien étaient là aussi. Il n'avait rien fait de mal. Il avait du succès, trop au goût de certains qui convoitaient ce qu'il avait. Les Hells Angels étaient jaloux de Melou parce qu'il avait trop de territoire et faisait trop d'argent. Jay et Pino [Gianfranco Ferrara et Giuseppe Ciancio], les deux Italiens qui travaillaient avec Melou, ont aussi disparu pas longtemps après lui.

«Vito ne voulait pas s'impliquer dans la guerre des motards. Mais les gars directement au-dessous de lui l'ont poussé à le faire. Vito disait : "Écoute, c'est peine perdue, ces gars-là n'écoutent pas, tout ce qu'ils veulent, c'est se tirer dessus, alors on va les laisser s'entretuer." Mais tu avais des gars comme Tony Suzuki, Lorenzo [Giordano] et les plus jeunes qui voulaient le convaincre de former une "table de distribution" avec les motards pour gérer le marché de la drogue à Montréal. Et c'est ce qu'ils ont fini par faire. Ils ont créé une sorte de commission ensemble qui a pris le contrôle du marché de la coke. Les Italiens et les motards achetaient le stock, et ensuite ils se le partageaient à un bon prix, mais tous les autres joueurs du marché devaient leur payer 50 000 $ le kilo. En gros, c'était : tu reçois ta cargaison, tu m'en refiles la moitié et on vend chacun notre kilo à 50 000 $. C'était ça, le partenariat convenu. Ça a été conclu en 2000.

« Comme Vito n'a pu convaincre Mom de faire la paix, il a dû se contenter de la deuxième option, soit cette alliance avec les Nomads. Toute cette situation déplaisait souverainement à Vito. Il n'était pas content. Il ne voulait pas que qui que ce soit dans la mafia se mouille dans ce conflit. Ce qu'il désirait par-dessus tout, c'était que les motards finissent par s'entendre et faire la paix entre eux. Il en a parlé à Mom à quelques reprises, vous savez ? Mom s'était fait arrêter [en décembre 1997, pour avoir commandé les meurtres de deux agents correctionnels], la police procédait à beaucoup d'arrestations, c'était mauvais pour les affaires de tout le monde... Alors Vito a voulu le convaincre de faire la paix. Mom aimait beaucoup Vito et il le respectait. Mais il était déjà parti sur ses grands chevaux et il ne voulait rien entendre. Encore moins après avoir gagné son premier procès pour les meurtres des gardiens de prison. Là, il se croyait tout puissant et pensait que plus rien ne pourrait l'arrêter. Vito avait essayé de lui faire entendre raison. J'avais une bonne relation avec Mom. On se respectait mutuellement. Alors moi aussi, je lui ai dit la même chose : "Votre guerre, c'est pas bon pour vous autres et c'est pas bon pour personne." Mais il ne voulait rien savoir. Il nous répondait : "Tu vas voir, ça va finir quand je déciderai que c'est fini !" Et le soir de son acquittement, ils s'étaient tous ramassés dans un gala de boxe où il a eu une ovation... Je le répète : le gars qui parle le plus fort dans la pièce est le gars le plus faible. Mom en est venu à déranger trop de monde. Pas étonnant qu'ils aient mis le paquet pour le faire tomber de son piédestal et l'enfermer en taule. Un peu comme ce qui s'est produit au début des années 1990 avec John Gotti, l'ex-chef de la famille Gambino à New York. Boucher et Gotti étaient flamboyants. Ils aimaient prendre beaucoup de place et attirer l'attention, mais ils faisaient des conneries. Si tu agis comme ça, c'est juste une question de temps avant de te faire pincer. Les gars qui restent dans l'ombre et qui n'aiment pas que le monde parle d'eux autres, ce sont eux les plus brillants.

«Mom tombait sur les nerfs de tout le monde avec ses grands sparages en public et les démonstrations de force de sa gang. Comme Gotti à New York. Je lui ai dit que les gars les plus brillants sont les plus tranquilles et qu'il devrait faire la paix. Mais Mom n'écoutait personne.

«Les Italiens ont tellement attiré l'attention. À New York, des gars comme Gotti ont donné aux autorités de bons motifs pour s'attaquer à eux. Avant, les chefs, comme Gambino, tu ne les voyais pas. Ils n'essayaient jamais de flasher ni de faire des déclarations publiques. Ils tenaient à rester dans l'ombre. Mais ils ont fini par s'en aller et ont été remplacés par des Gotti, qui cherchaient à avoir les projecteurs braqués sur eux.

«Si tu attires trop l'attention, on va tous se faire attraper à cause de toi. C'est ce qui est arrivé. Pendant que les motards faisaient les jobs de bras pour les Italiens, personne ne parlait vraiment d'eux autres. Ils s'occupaient de leurs petites affaires. Les motards ont une structure, ils sont organisés. Par exemple, ça prend au moins six membres pour former un chapitre. Ils ont des règlements à respecter. Les Italiens aussi mais c'est différent, c'est moins structuré. C'était des joueurs assez marginaux dans le crime organisé. Tout a changé à partir de 1993-1994, avec la guerre entre Hells et Rock Machine. Vito ne les regardait pas de haut, ni eux ni personne d'autre. Les motards savaient que s'il avait besoin d'eux, il pouvait les appeler et ils feraient ce que Vito leur demanderait. Aussi, les Italiens confiaient aux motards la distribution de leur marchandise sur le marché. Ce sont les motards qui s'occupaient de la rue. Mais pendant la guerre, les motards ont commencé à prendre plus de place. Ils se sont fait leurs propres contacts pour importer des stupéfiants, ils ont développé leur réseau, ils ont pris de l'expansion. Et ils ont fini par ne plus avoir vraiment besoin des Italiens pour faire de l'argent. Maintenant, c'est l'inverse qui se produit. Les Italiens travaillent pour les motards. La structure des Italiens a complètement éclaté. La vieille garde a pris le bord. Vito, Di Maulo, tous les principaux leaders sont partis. Les seuls vétérans qui restent, ils se tiennent tranquilles, ils fument leur cigare et ils jouent au golf. C'est tout.

«D'ailleurs, quand l'État a décidé de mettre tous les Hells ensemble dans la même prison, Bordeaux, après l'opération SharQc, il les a aidés à rester forts au lieu de les affaiblir. Je ne comprends pas pourquoi les autorités leur ont rendu la vie aussi facile. Ensemble, les motards ont pu rester unis, ils jouaient aux cartes... C'était le party! Ils contrôlaient toute leur *wing*. Au lieu de les isoler...

«Prends moi, par exemple, en 2017. Ils m'ont rendu la vie misérable. Je devenais fou, ma femme capotait, mon fils ne voulait plus me parler. Ils ont fermé mes comptes bancaires, je ne pouvais plus rembourser mon hypothèque... Quand tu te retrouves tout seul en prison, c'est dur. Ça l'a été pour moi, même si j'étais bien traité. On a même réussi à se faire entrer des steaks, du vin et du cognac grâce à un autre détenu et ses drones! Et des *pasta e fagioli* [fèves, sauce tomate, piments forts, épices]. Tu peux aussi en faire entrer par les gardiens. Je l'ai fait en 2006 quand j'étais au Centre régional de réception à Sainte-Anne-des-Plaines avec les deux Hells Nomads, [Donald] Stockford et [Walter] Stadnick, condamnés dans l'opération Printemps 2001. Ils n'en revenaient pas. Je m'étais mis chum avec eux. Quand tu fais ton temps avec des amis, c'est pas mal plus facile.

«Mais les Hells n'ont pas de principes ni de valeurs. Ils ne prennent pas de décision en fonction de ce qui est correct ou pas correct. Tout ce qui compte pour eux, c'est l'argent qui entre dans leurs poches. C'est tout. Si tu me fais faire de l'argent, OK, je vais te parler. C'est le dollar qui a le dernier mot. Ils aiment bien flasher et s'afficher avec leurs *patches*. Je pense que c'est une erreur. Ça fait 50 ans que vous êtes ici, vos affaires vont bien, donc vous pouvez arrêter de faire de la publicité! Au moins restez tranquilles. Ils sentent encore le besoin de montrer à la population qu'ils sont puissants. Ils n'en ont pas besoin. Maintenant, ils contrôlent à peu près tout ce qu'il y a à contrôler dans le crime organisé. C'est rendu que tous les criminels leur lèchent le cul! Moi, j'accepterais de travailler avec eux mais pas pour eux. Grosse différence. Je ne leur appartiens pas.

«Il y a un autre Hells Angels que les motards ont passé pour rendre service au clan Rizzuto. Vous vous souvenez de Scott Steinert et de son garde du corps [Donald "Bam-Bam" Magnussen]? Vous savez pourquoi ils ont été tués? C'est parce qu'ils avaient osé frapper Leo Rizzuto en plein visage au club de boxe sur la rue Saint-Dominique. Ils lui avaient ouvert la face. Paf! Je suis pas certain que Steinert l'avait frappé, mais son garde du corps, oui. L'info a circulé dans le milieu. Une chose est sûre, les deux ont payé de leur vie pour ça. C'était le message que Vito a envoyé pour faire comprendre que personne, personne ne touche à un cheveu de son fils. Évidemment, c'était avant qu'il soit extradé aux États-Unis...»

L'agent d'infiltration Dany Kane, qui a aidé la police dans l'enquête ayant mené à l'opération Printemps 2001, est le premier à avoir évoqué «la rumeur» voulant que Donald Magnussen et d'autres motards aient tabassé Leonardo Rizzuto en février 1997, mais c'était à l'extérieur d'un bar du boulevard Saint-Laurent, ils ignoraient l'identité de leur illustre victime et ne se doutaient pas de l'ampleur de leur bourde. Selon ce que Kane a dit aux policiers, les Rizzuto auraient promis de se venger.

À ce jour, les meurtres de Paolo Gervasi, de son fils Salvatore, ainsi que ceux des Hells Angels Scott Steinert et Louis Roy n'ont pas pu être élucidés. Mais des sources policières nous confirment que les affirmations d'Andrew Scoppa quant aux circonstances et mobiles possibles de ces crimes concordent avec des renseignements que les autorités détiennent de longue date sans les avoir jamais divulgués.

Les observations teintées d'amertume de Scoppa concernant l'essor des motards aux dépens de la mafia italienne au Québec concordent également avec le témoignage de la caporale Linda Féquière devant la commission Charbonneau. Selon elle, si le clan Rizzuto a bien «commencé à perdre de son ampleur» à la suite de l'opération Colisée de 2006, cela s'inscrit en fait dans une tendance plus globale. «La mafia sicilienne commence à décroître pas uniquement à Montréal, au Québec ou en Amérique du Nord, mais partout dans le monde où elle est implantée. Ce qui peut expliquer ce déclin, c'est [...] que durant les 50 dernières années, il y a eu des

multiples enquêtes qui ont visé essentiellement la mafia sicilienne. Il y a eu aussi des lois antimafia dans certains pays, je
pense en Italie et aux États-Unis, ainsi que des programmes
judiciaires qui ont favorisé le témoignage de sujets repentis
[...] et la condamnation de chefs de la mafia sicilienne. Il y a
aussi la [concurrence] d'autres groupes du crime organisé.
Tous ces facteurs mis bout à bout peuvent expliquer que
la mafia sicilienne et le clan Rizzuto ont connu un déclin.»

CHAPITRE 7
LA LOYAUTÉ

Le plus intéressant à observer d'un point de vue sociologique ou psychologique au cours de nos rencontres, c'est la façon dont Scoppa me parlait de la loyauté : il affirmait toujours une chose et prouvait le contraire juste après.

D ans la même phrase, il commençait par affirmer que sa vie était basée sur des principes de loyauté et qu'il était impossible de durer sans loyauté, puis, du même souffle, il m'assurait qu'il n'y avait plus de loyauté dans ce milieu et que cette époque était révolue. Qu'il était l'un des derniers gardiens du concept de loyauté dans la mafia, mais en même temps... C'est ainsi qu'il s'est comporté en Espagne en nous demandant ce que l'honneur, la loyauté représentent pour nous. À l'entendre, la loyauté, c'est de ne pas mentir, surtout à quelqu'un en qui on a confiance, ce qui ne l'empêche pas de pratiquer l'inverse avec moi. Le respect, être à l'heure, il a beau répéter que c'est important pour lui, il a beau aimer se dire que lui, il fait preuve de loyauté, il comprend très bien que c'est quelque chose qu'on voit dans les films, que «ça n'existe plus, la loyauté»...

«Le jour où Vito a été extradé aux États-Unis, le 17 août 2006, il savait que la merde allait pogner ici, nous explique Scoppa. Un tas de gens pensaient qu'on ne le reverrait plus jamais ici, qu'il ne reviendrait pas, qu'il était fini. Alors dès la minute où il est parti, les attitudes ont changé. Du jour au lendemain, des gars qui l'avaient toujours respecté et tenu en haute estime se sont mis à en parler comme s'il n'existait plus. "Qu'il aille chez le diable! disaient-ils. Bon débarras! C'est notre tour maintenant!"»

Le matin du 20 janvier 2004, Vito Rizzuto est arrêté à sa résidence cossue de l'avenue Antoine-Berthelet, une artère du secteur Cartierville surnommée «la rue de la mafia» parce que le père du parrain, Nicolo, et son beau-frère, Paolo Renda, y habitent eux aussi dans des maisons luxueuses. Les autorités américaines réclament son extradition afin de le juger sous trois chefs d'accusation de meurtre, un de complot pour meurtre et un de gangstérisme, soit d'avoir commis un crime «au profit ou en association avec la famille Bonanno». Toutes ces infractions sont en lien avec le triple meurtre du 5 mai 1981, à Brooklyn, commandé par Joe Massino, alors chef intérimaire de la famille Bonanno.

En 2003, Massino est le tout premier leader de la mafia dans l'histoire des États-Unis à devenir délateur et à collaborer avec les autorités. Il indique notamment aux policiers où aller déterrer les restes des trois victimes. Son beau-frère, Salvatore «Good Looking Sal» Vitale, l'un des quatre hommes de main qui a participé à cette fusillade, s'est lui aussi mis à table avec les enquêteurs du FBI. Il a identifié Rizzuto comme «le tireur principal» en compagnie d'un autre Canadien prénommé «Emmanuel», relate le juge Jean-Guy Boilard, devant qui le parrain Rizzuto comparaît à Montréal. Pourquoi faire appel à des Canadiens pour effectuer ce sale boulot? «C'était plus sécuritaire pour nous, selon Vitale. Eux, ils retournent à Montréal après. Et personne n'en parlera, il n'y aura pas de fuite.»

Vito Rizzuto retient les services d'une équipe de six avocats pour tenter de convaincre le juge Boilard de le remettre en liberté et de conclure à l'illégalité des procédures d'extradition intentées contre lui. Parmi eux figure Loris Cavaliere, qui sera condamné en février 2017 à 34 mois de pénitencier après une accusation de gangstérisme relativement aux activités criminelles de la nouvelle garde du clan Rizzuto. En avril 2004, le juge Boilard ordonne l'incarcération de Vito Rizzuto en attendant qu'il soit confié à la justice américaine.

Le parrain se tourne vers la Cour d'appel du Québec. Pour plaider sa cause, il embauche Alan Dershowitz, un avocat américain réputé et défenseur des droits de l'homme, notamment connu pour avoir défendu O. J. Simpson, le boxeur Mike Tyson, ainsi que le riche homme d'affaires et délinquant sexuel new-yorkais Jeffrey Epstein, retrouvé pendu dans sa cellule d'une prison new-yorkaise à la suite de sa dernière mise en accusation à l'été 2019. Durant les années 1980 et 1990, ce même Epstein et sa conjointe, Ghislaine Maxwell, elle aussi arrêtée pour crimes sexuels à l'été 2020, avaient été voisins et amis du futur président des États-Unis, Donald Trump. «Durant des années, si vous ne connaissiez ni Trump ni Epstein, vous n'étiez personne. Vous étiez un *nobody*», confie Dershowitz au *New York Times* en 2019, dans un article rappelant qu'Epstein a été invité lors d'un party sélect à la résidence secondaire de Trump en Floride, le club Mar-a-Lago, en 1992.

Preuve que le monde est petit, Me Dershowitz et Irwin Cotler, alors ministre canadien de la Justice, à qui il incombe d'autoriser ou non l'extradition de Vito Rizzuto dans l'État de New York, à moins d'un avis contraire des tribunaux supérieurs, sont de vieux amis depuis les années 1960, époque de leurs études universitaires.

À l'hiver 2005, en attendant que la Cour d'appel tranche l'affaire, le parrain Rizzuto est transféré de la prison provinciale de Rivière-des-Prairies vers un pénitencier fédéral à Sainte-Anne-des-Plaines. Pendant deux mois et demi, il est incarcéré dans la même aile de détention que Gregory Woolley, un ancien protégé de Maurice «Mom» Boucher. Ce dernier l'avait encouragé à fonder son propre gang de rue, le Syndicate, pour venir épauler les Hells Angels sur le marché de la drogue. En 1997, il l'avait nommé membre de leur club-école, les Rockers, faisant ainsi de Woolley le seul Noir à avoir un statut officiel au sein des Hells, bien que les règlements internes de l'organisation l'interdisent. «MM. Rizzuto et Woolley ont été vus à plusieurs reprises en train de discuter ensemble dans la cour extérieure du Centre régional de réception à Sainte-Anne-des-Plaines, entre les mois de juillet et de septembre 2005», témoigne en cour le sergent-détective François Lambert, du SPVM, au printemps 2016, quelques mois après que Woolley est accusé de gangstérisme. Selon des documents de cour, Woolley est alors qualifié de «parrain des Noirs» associés aux gangs de rue montréalais et considéré comme l'un des leaders les plus influents du crime organisé québécois.

Francesco Arcadi, qui est chargé de diriger les opérations de la mafia montréalaise pendant l'incarcération de Vito Rizzuto, a une tout autre opinion des membres de gangs de rue. « Ces singes, ils poussent comme des champignons », dit-il à Rocco Sollecito en mars 2006, alors qu'ils sont épiés à leur insu par la GRC. Encore échaudés par le meurtre d'un jeune mafieux par des porte-couleurs d'un de ces gangs dans un bar, un an auparavant, Arcadi et Sollecito comparent même ces derniers à « des animaux ».

Sur le terrain, l'intransigeance et les méthodes fortes d'Arcadi et de ses lieutenants sont loin de faire l'unanimité. Son caractère hautain et agressif - la police l'enregistre en train de sommer un de ses fiers-à-bras d'aller menacer quelqu'un de lui « trancher la gorge comme à une chèvre » - contraste avec le sens de la diplomatie et le style rassembleur du parrain Rizzuto. Plusieurs reprochent à Arcadi d'avoir autorisé le meurtre du mafieux Giovanni « Johnny » Bertolo, en août 2005. Ce dernier était l'un des meilleurs amis du caïd Raynald Desjardins, qui n'a jamais digéré son assassinat.

La réplique vient un an plus tard. Le 30 août 2006, Domenico Macri, une étoile montante de la mafia qui est très proche de Francesco Del Balso, se trouve à bord d'une Cadillac qui arrive en face de la résidence d'Arcadi, à Rivière-des-Prairies, quand deux cagoulards assis sur une moto s'approchent et tirent à plusieurs reprises. Lorsqu'il apprend la mort de son ami au téléphone, Del Balso lance son BlackBerry ainsi qu'une chaise vers une fenêtre du bar où il se trouve alors, selon des documents de la GRC. Arcadi est « hors de lui ». « Pouvez-vous imaginer dans quelle position ça me place? Domenico est mort juste en face de ma maison! Imaginez si j'avais ouvert la porte...», dit-il le lendemain au club social Consenza, alors qu'il est en compagnie de Lorenzo Giordano et de Rocco Sollecito. Clairement secoué, Arcadi ajoute qu'il serait satisfaisant de venger le meurtre de Macri, mais il hésite en rappelant qu'il faut «penser à nos familles». «Domenico ne reviendra pas même si on en tue 100, dit-il sur un ton solennel et presque caricatural. Mes frères, nous sommes ici le Père, le Fils et le Saint-Esprit. Nous devons réfléchir à certaines choses. Je sais que nous sommes tous affectés par ces stupidités mais les discussions doivent rester brèves.» Craignant pour sa vie, Arcadi ira ensuite se réfugier en Europe pendant deux mois avant de revenir au Québec, où il se fera coffrer avec le reste de l'état-major du clan Rizzuto par la GRC au terme de l'opération Colisée, le 22 novembre 2006.

Vito Rizzuto est alors emprisonné dans l'État de New York depuis 3 mois, après avoir perdu une bataille judiciaire de 31 mois. Le ministre Cotler a autorisé son extradition et tous les arguments de ses nombreux avocats, notamment ceux de son ami Dershowitz, ont été rejetés en appel. Le 17 août 2006, la Cour suprême du Canada refuse d'entendre un ultime recours en révision du parrain. Dès le lendemain, on l'escorte dans un avion pour qu'il aille faire face à la justice américaine.

Le 4 mai 2007, après six mois de négociations entre l'avocat de la défense John Mitchell et le procureur fédéral Greg Andres, Vito Rizzuto, que le *New York Daily News* affuble du surnom peu flatteur et mal avisé de «John Gotti du Canada», plaide coupable à une accusation de gangstérisme, soit de complot de meurtre «au profit ou en association avec la famille Bonanno», évitant ainsi un procès.

Tout d'abord perplexe, le juge Nicholas Garaufis entérine néanmoins cette entente avant de condamner Rizzuto à une peine de 10 ans de pénitencier. Jamais Rizzuto n'admet avoir été l'un des tireurs lors du triple meurtre de 1981, contrairement à ce que déclare le délateur Sal Vitale au FBI. C'est également ce jour-là, dans une salle de la cour fédérale à Brooklyn, que le parrain dévoile les problèmes de santé qui vont contribuer à son décès, six ans et demi plus tard. Rizzuto écope aussi d'une amende de 250 000 $, même si ses avocats ont tenté d'établir que ses actifs - qui se limitent à des parts de 468 000 $ dans l'entreprise de construction de son beau-frère Paolo Renda et à 3000 $ en argent liquide, selon la défense - sont inférieurs à ses dettes, évaluées à 475 000 $. Selon le bureau de l'U.S. Attorney à Brooklyn, il n'avait toujours pas payé en totalité cette amende à sa mort.

Extrait de l'audition du 4 mai 2007, cour fédérale de Brooklyn, État de New York :

Me Greg Andres :

Dans le cas de M. Rizzuto, les parties se sont entendues sur une peine de 10 ans d'emprisonnement. [...] En vertu de notre loi antigang, la peine maximale dont M. Rizzuto est passible est de 20 ans parce que les meurtres [auxquels il a participé] remontent à 1981. La loi a été amendée au début des années 1990 et elle prévoit maintenant une peine d'incarcération à perpétuité pour ce crime, mais cela ne peut s'appliquer dans ce cas-ci. Il y a également d'autres raisons qui peuvent expliquer ce plaidoyer et je serai heureux de vous en faire part, Votre Honneur.

Juge Nicholas Garaufis :

Je crois comprendre les raisons qui ont pu mener à cet accord [entre la poursuite et la défense] et je pense que c'est prudent. Mais tout dépendra de ce que l'accusé aura à me dire. [...] M. Rizzuto, on m'avise qu'il est dans votre intention de plaider coupable. C'est une décision sérieuse. Je dois m'assurer que vous comprenez bien vos droits et les conséquences de votre plaidoyer. J'ai quelques questions à vous poser. Comme vous avez été assermenté, vous comprenez que si vous me mentiez de façon délibérée, vous pourriez être accusé de parjure ?

Vito Rizzuto :
Oui, monsieur.

Juge :
M. Rizzuto, quel âge avez-vous ?

R : Soixante et un ans, Votre Honneur.

J : Quel est votre niveau de scolarité ?

R : Neuvième année.

J : Où avez-vous étudié ?

R : À l'école catholique au Canada.

J : Où au Canada ?

R : Montréal.

J : Est-ce que l'anglais est votre langue principale ?

R : Je dirais que oui.

J : Combien de langues parlez-vous ?

R : Quatre. Je parle aussi l'espagnol, l'italien et le français.

J : Avez-vous dû consulter un médecin ou un psychiatre récemment ?

R : Un médecin, oui.

J : Pour quelle raison ?

R: Ils disent qu'ils ont trouvé une tache sur mes poumons, il y a deux mois. Je n'en sais pas plus pour l'instant. Je dois passer un *CAT scan*, mais j'ignore encore à quel moment ils m'amèneront à l'hôpital.

J: Avez-vous pris des médicaments depuis 24 heures?

R: Non, Votre Honneur.

[...]

J: J'aimerais que vous décriviez, dans vos propres mots, ce que vous avez fait pour commettre ce crime. Je vois que vous vous apprêtez à lire une «allocution». Lisez-la lentement, s'il vous plaît.

R: Entre le 1er février 1981 et le 5 mai 1981, j'ai comploté certaines affaires avec d'autres au profit d'une organisation. De façon spécifique, le 5 mai 1981, avec d'autres individus à Brooklyn, État de New York, j'ai commis un acte de gangstérisme en complotant les meurtres d'Alphonse Indelicato, Philip Giaccone et Dominick Trinchera.

A: M. le juge, en complément...

J: Ce serait utile...

A: L'association est l'organisation criminelle Bonanno-Massino, la Cosa Nostra. Le gouvernement démontrerait que M. Rizzuto était impliqué dans les meurtres de ces trois capos, par les témoignages de témoins collaborateurs, de policiers, de filatures, d'éléments de preuve techniques comme les corps de Trinchera et Giaccone qui furent retrouvés.

J: Vous me demandez d'imposer une peine de 10 ans à cet accusé, mais vous ne m'avez rien dit de ce qu'il a fait. Seulement qu'il a été impliqué. Pourquoi devrais-je accepter ce plaidoyer si j'ignore ce qu'il a fait? Franchement, ce n'est pas suffisant. Alors dites-moi ce qu'il a fait. Le savez-vous?

A : Absolument. Voulez-vous que cela vienne du gouvernement ou de la défense ?

J : Je veux l'entendre de l'accusé.

*Me **John Mitchell** :* Votre Honneur, l'accusé a déjà livré une
« allocution » dans laquelle il admet le complot...

J : Je veux en savoir davantage à ce sujet. Ceci n'est pas un
jeu. Je suis le juge. C'est inacceptable. Était-il le chauffeur ?
Ou un des tireurs ? Cela fait des semaines que je suis assis
ici à entendre des témoins me parler de ces trois meurtres
et je ne sais toujours quel était son rôle. Il y a des gens qui
sont emprisonnés pour le restant de leurs jours en raison
de leur implication dans ces crimes. Si l'accusé a autre
chose à me dire, j'aimerais l'entendre maintenant.

(Les procureurs Mitchell et Andres demandent une pause.)

J : Je vous donne 10 minutes.

M : Votre Honneur, l'accusé dirait au tribunal qu'il était là ce
jour-là, qu'il était armé, qu'il est entré en annonçant que
c'était un *hold-up*, que les autres complices sont entrés
et ont tiré sur les individus.

J : Laissez-le le dire au tribunal.

R : C'est arrivé comme ça, Votre Honneur. Exactement comme
M. Mitchell le dit.

J : OK. Qu'est-il arrivé ?

R : Bien, j'étais un des gars qui ont participé à cela. Ma job
était de dire « C'est un *hold-up*, que personne ne bouge »
en arrivant dans la pièce. À ce moment, les autres sont
arrivés et ils ont commencé à tirer sur les autres gars.

J : Vous étiez armé ?

R : J'étais armé.

J: Parfait.

A: Votre Honneur, de l'avis du gouvernement, c'est plus que suffisant comme « allocution »...

J: C'est son « allocution », pas la vôtre.

A: Je comprends. Mais le gouvernement serait-il en mesure de prouver que M. Rizzuto était là avec une arme à feu avec d'autres personnes armées dans le but de tuer les trois capitaines...

J: Je crois que c'est ce qu'il vient de dire, n'est-ce pas, monsieur ?

R: Oui, monsieur.

J: Oui.

A: Merci, M. le juge.

J: Je dois préciser, et vous le savez Me Andres, que je suis très réticent à entériner un plaidoyer de culpabilité en vertu de ce chef d'accusation. C'est pourquoi j'ai requis une « allocution » plus détaillée avant d'accepter la peine qui a été négociée entre les parties. Vous comprenez ?

A: Je suis certainement au courant de ça. Il n'y a eu que deux de ces plaidoyers de culpabilité enregistrés à cette accusation parmi la centaine de personnes accusées relativement aux dossiers liés au clan Bonanno. Les crimes remontent à plus de 26 ans. Ce plaidoyer permettra aux familles des victimes de tourner la page. Ce n'est pas une excuse, mais le passage du temps a certainement été l'un des facteurs qui incitent le gouvernement à disposer ainsi de cette cause.

J: Je sais. Et je crois que le gouvernement a fait la chose qui s'imposait dans cette situation. J'avais simplement besoin de plus d'informations avant de prendre ma décision finale. M. Rizzuto, j'accepte votre plaidoyer de culpabilité et vous condamne à 10 ans de prison.

« Vito a su qu'il était dans le trouble autour d'octobre 2003 après l'arrestation de Sal Vitale et de Joe Massino, qui sont devenus délateurs, nous raconte Andrew Scoppa sur une plage de Barcelone. Vito est aussitôt parti se réfugier à Cuba pendant quelques mois. Quand il est revenu, [Paolo] Gervasi s'est fait tuer, le 19 janvier 2004. Le soir, Vito est sorti en ville. Et le lendemain, il s'est fait arrêter. Tout le monde savait que les autorités américaines réclamaient son extradition à New York, c'était dans tous les journaux. Le jour de son arrestation, c'était la panique générale. Il y avait beaucoup de nervosité dans l'air. Évidemment, la famille de Vito était atterrée et se sentait vulnérable. Le pilier de la famille se retrouvait en prison. Je pense que personne ne l'avait vu venir, à part Vito lui-même. Vito, c'était la colle qui tenait tout le château de cartes en place, le mortier qui empêchait l'immeuble de briques de s'écrouler. Qui allait prendre sa place ?

« Les gars autour de lui, comme [Paolo] Renda, Compare Frank [Arcadi], Rocco [Sollecito], Lorenzo [Giordano], ils ont tenu des réunions. Certains se sont rencontrés au Consenza. La préoccupation commune de tout le monde, c'était qu'il fallait tout essayer pour garder Vito ici à Montréal. Pour qu'au moins, il reste proche et que ça facilite les communications avec lui et les autres. Les candidats pour assumer l'intérim n'avaient certainement pas autant de connaissances ni de compétence que lui. Et personne n'imposait le respect comme Vito. Deux ans plus tard, ils se sont tous fait arrêter d'ailleurs.

«Mais cette nervosité, bien des gars qui étaient situés directement au-dessous de Vito dans la hiérarchie ne la ressentaient pas. Parce que maintenant, ils savaient que c'était eux qui prendraient le contrôle. C'était eux qui prendraient le pouvoir. Ils se sentaient plus importants, plus puissants. Voire intouchables, à l'exception de son beau-frère Paolo Renda. Des gars comme Chit [Del Balso], Lorenzo [Giordano], [Tony] Mucci, [Francesco] Arcadi. C'est dégueulasse comme attitude. Surtout quand on sait ce que Vito a fait pour eux. Personne ne devrait oublier ce que Vito a fait pour eux. Personne.

« Si Vito avait été jugé et incarcéré ici au lieu des États-Unis, l'histoire aurait été bien différente. Il aurait été plus proche, plus facile à joindre, les messages à ses fidèles se seraient passés plus facilement, plus vite. C'est à partir du moment où il a été extradé aux États-Unis que ça s'est réellement gâté ici. Là-bas, il n'avait aucun moyen d'intervenir. Quand il a été extradé, les gens croyaient qu'il ne reviendrait plus jamais ici. Les gens disaient : "C'est fini pour lui." Et plusieurs disaient : "*Fuck him!* Il n'est plus ici pour nous dire quoi faire." Oui, ça a été aussi rapide que ça.

« Des gars qui lui vouaient le plus grand respect ont viré capot. Des plus vieux comme Tony Mucci, qui se pensait au sommet de l'univers, et Compare Frank [Arcadi]. Et des jeunes loups, comme Lorenzo [Giordano], qui voulaient jouer un plus grand rôle et avoir plus de pouvoir. Rocco Sollecito [père de Stefano], qui a déjà été le chauffeur de Vito, venait de sortir de prison et il était resté loyal envers Vito. Rocco était aussi chargé de collecter la taxe des entrepreneurs en construction pour le clan Rizzuto. Renda est resté loyal envers Vito aussi, puisque c'était son beau-frère. Mais plusieurs autres s'en foutaient royalement. La minute où Vito est parti, une bonne partie de son entourage s'est métamorphosée. Ceux qui étaient directement sous ses ordres - les Compare Frank, Lorenzo, Chit, Mucci... - se sont mis ensemble, et le vieux Nick s'est rapidement fait tasser. La seule chose qui comptait pour ceux qui ont remplacé Vito, c'était le fric. Et ç'a été un vrai désastre.

« Il y avait pas mal de frictions à cette époque. Surtout après le meurtre de Domenico Macri, le 30 août 2006. C'est arrivé sur Henri-Bourassa, tout près de la résidence d'Arcadi. Il s'est fait tirer par un gars à moto. C'était des représailles pour le meurtre de "Johnny" Bertolo, survenu un an plus tôt. Bertolo était un bon gars. Il était très copain avec Raynald Desjardins et Jocelyn Dupuis, l'ancien dirigeant de la FTQ-Construction. C'était aussi le mentor de Vic [Vittorio] Mirarchi, qui s'est ensuite associé à Raynald. L'ordre d'éliminer Bertolo était venu d'Arcadi, Skunk [Giordano] et Chit [Del Balso]. Pourquoi? Parce que Bertolo ne les écoutait pas. Finalement, Arcadi a eu peur, et tout de suite après le meurtre de Macri, il a sacré son camp en Italie, où il est allé se cacher pendant quelques mois.

« Il y avait de la tension dans l'air quand la GRC a arrêté tous les nouveaux chefs dans l'opération Colisée en novembre 2006. Mais ça, ce n'est rien comparé à ce qui est arrivé trois ans plus tard... »

CHAPITRE 8
LA ROYAUTÉ

Scoppa nous parle beaucoup de son fils et des difficultés liées au fait d'être l'enfant d'un mafioso. Il dit avoir envisagé de faire changer le nom de famille de son fils afin qu'il ait moins de trouble dans la vie en portant un patronyme étranger à ses activités criminelles à lui.

I l nous raconte des scènes où son enfant manifeste des signes d'anxiété, ce qui est particulièrement triste. Celui-ci comprend que la job de son père n'est pas comme les autres. Avec le temps, les voisins commencent aussi à comprendre qui est son père et, comme ils habitent dans un quartier résidentiel normal, ils ne permettent pas à leurs enfants de venir jouer avec lui. « Mon fils pleure souvent », nous dit Andrew. « On va aller le faire suivre par un psychologue en pédiatrie parce qu'il est en dépression, il n'a pas d'ami autorisé à venir jouer avec lui chez nous. » Cela me fait pitié. Si ma fille subissait cela à cause de la vie que je mène, je ferais autre chose. Je n'infligerais pas cette peine-là à mon enfant. Mais, en même temps, nous explique Andrew, c'est difficile à comprendre quand on n'a pas toujours vécu ça. Souvent, nous dit-il, les gens qui vivent dans ce milieu viennent d'une famille qui en est elle-même issue, et ils n'ont jamais rien connu d'autre. À cet égard, Andrew a souvent tendance à jouer la victime. L'un de ses plus grands tourments, à part la peur de mourir, c'est la réputation qu'il a et le fait de ne pas pouvoir offrir une vie normale à son fils.

«Nicky Rizzuto est mort juste avant midi. Il sortait d'un meeting avec Tony Magi et il venait de quitter son bureau. Magi le regardait par sa fenêtre de son bureau. Il a tout vu. Oui, il a tout vu...», répète Scoppa en relatant le meurtre du fils aîné de Vito Rizzuto, tout en nous regardant droit dans les yeux de son regard perçant.

Dans «La chute d'un empire du crime», un article paru le 1er octobre 2011 dans *Le Journal de Montréal*, le journaliste Daniel Renaud relate les principaux attentats qui déciment la famille Rizzuto et le clan mafieux sicilien pendant l'incarcération du parrain. Avant la rafle antimafia Colisée de novembre 2006, «des mécontents du régime des Siciliens avaient commencé à ébranler les colonnes du temple». Mais, écrit-il, cette opération policière a donné «le coup de grâce aux Rizzuto en les affaiblissant et en minant leur crédibilité dans le milieu», après une succession d'événements tragiques qui ont mené à leur déclin.

20 JANVIER 2004

Vito Rizzuto est arrêté

Le parrain de la mafia de Montréal est appréhendé pour son implication dans les meurtres de trois chefs du clan Bonanno à New York en 1981. Il sera ensuite extradé vers les États-Unis où il purge toujours une peine de 10 ans. L'un de ses lieutenants, Francesco Arcadi, Calabrais d'origine, prend sa relève.

11 AOÛT 2005

Meurtre de Giovanni Bertolo

Bertolo, 46 ans, a été mitraillé par trois individus alors qu'il sortait d'un gym du boulevard Henri-Bourassa. Durant les années 1990, il avait pris la responsabilité à la place de ses patrons pour une affaire d'importation de 58 kg de cocaïne et avait été condamné à 12 ans de prison. Au moment de son assassinat, il voulait reprendre du service sans contrainte, ce qui en aurait fait un concurrent potentiel pour certains individus. Bertolo était représentant syndical d'une section locale de la FTQ-Construction et un grand ami de Raynald Desjardins.

31 OCTOBRE 2005

Enlèvement de Nicola Varacalli

Alors qu'il distribue des bonbons aux enfants pour l'Halloween, l'homme d'affaires est enlevé chez lui par quatre individus déguisés. Il est retenu plusieurs jours par ses ravisseurs qui le forcent à apparaître sur une vidéo dans laquelle il prédit l'apocalypse pour le clan des Siciliens. Un conflit entre les clans Rizzuto et D'Amico de Granby pour une dette de 800 000 $ dû à une importation de drogue ratée serait à l'origine de cette affaire, selon ce que révèle la preuve de l'opération Colisée.

1ᵉʳ FÉVRIER 2006

Le «vieux» dans la mire

Des individus armés liés à Sergio Piccirilli, ancien militaire et proche des D'Amico, se trouvent sur la rue Jarry, devant le café Consenza, quartier général des Rizzuto, où le patriarche, Nicolo Rizzuto, joue aux cartes. Selon la preuve de l'opération Colisée, ils attendent un feu vert qui ne viendra pas. À plusieurs reprises dans les mois précédents, des individus s'étaient montrés intimidants autour du Consenza. Les soldats des Siciliens avaient répliqué en incendiant la voiture d'un membre de la famille D'Amico et en tirant du AK-47 sur une maison à partir d'un hélicoptère.

30 AOÛT 2006

Meurtre de Domenico Macri

L'homme de 35 ans, étoile montante du crime organisé et homme de confiance de Francesco Arcadi, a été assassiné par deux suspects en moto alors qu'il se trouvait dans une Cadillac, à l'angle du boulevard Henri-Bourassa et de la rue Rodolphe-Forget. Deux théories s'affrontent pour expliquer ce crime : les tueurs se sont trompés de cible et croyaient qu'ils visaient Arcadi. Macri a été tué parce que dans le milieu, il était soupçonné d'avoir été l'un des trois meurtriers de Johnny Bertolo.

22 NOVEMBRE 2006

Opération Colisée

La vaste opération policière décapite et affaiblit le clan Rizzuto, dont les principaux lieutenants sont emprisonnés. Elle provoque également une longue période de déstabilisation et de flottement au sein du crime organisé montréalais.

11 AOÛT 2008
Tentative de meurtre contre Antonio Magi
Magi, un entrepreneur en construction controversé dont le nom a été mentionné souvent dans les médias durant la dernière année et demie, a été criblé de balles alors qu'il attendait à une lumière rouge, à bord de son Range Rover, à l'angle de l'avenue Monkland et du boulevard Cavendish, dans le secteur Notre-Dame-de-Grâce. C'est un véritable miracle qu'il s'en soit sorti vivant. Il a conservé des séquelles de cet attentat.

19 JANVIER 2009
Meurtre de Sam Fasulo
L'homme de 37 ans attendait à une lumière rouge à bord de son Jeep, à l'angle des rues Henri-Bourassa et Langelier, lorsqu'il a été criblé de balles par deux individus sortis d'un autre véhicule. Fasulo était le neveu de Francesco Arcadi. Il contrôlait le trafic de stupéfiants dans plusieurs bars et cafés du nord-est de Montréal et n'hésitait pas à se faire intimidant.

21 AOÛT 2009
Meurtre de Federio Del Peschio
L'homme de 59 ans a été tué dans le stationnement du restaurant La Cantina, sur [le boulevard] Saint-Laurent, dont il était l'un des propriétaires. Del Peschio était très proche de Vito Rizzuto et de son père, Nicolo, avec qui il avait fait de la prison pour trafic de cocaïne au Venezuela. Une dette pourrait être le mobile du crime.

22 SEPTEMBRE 2009
Début d'une vague d'incendies criminels
Le bar Solaris sur [le boulevard] Décarie est le premier établissement visé par une série d'incendies criminels commis contre des cafés, bars et autres entreprises appartenant à des intérêts italiens à Montréal. Durant environ un an, plus de

20 commerces seront visés. Un conflit entre deux groupes pour le contrôle de la vente de stupéfiants dans ces établissements explique plusieurs de ces incendies. D'autres, comme celui du Complexe funéraire Loreto appartenant à la famille Renda, avaient pour but d'envoyer un message aux Rizzuto.

28 DÉCEMBRE 2009
Meurtre de Nick Rizzuto Jr.
Le fils aîné de Vito Rizzuto et petit-fils préféré du patriarche, Nicolo, a été abattu sur [le chemin] Upper-Lachine, tout près des bureaux de l'entrepreneur en construction Antonio Magi dont il était un associé. Des sources du milieu nous ont cependant indiqué que Rizzuto a plutôt été placé par le clan pour surveiller les activités de l'entrepreneur. Souvent décrit comme un homme de peu d'envergure, des sources nous ont indiqué, au contraire, que le fils aîné de Vito était très actif et aurait pu assurer une relève au sein de la famille.

18 MARS 2010
Tentative de meurtre contre Ducarme Joseph
Le redoutable chef de gang s'est miraculeusement tiré indemne de cette spectaculaire fusillade survenue dans son magasin de vêtements du Vieux-Montréal et au cours de laquelle son garde du corps et le gérant de la boutique ont été tués. Joseph, qui pourrait être lié aux événements des mois précédents, était-il devenu un témoin gênant ?

21 MAI 2010
Enlèvement de Paolo Renda
L'homme de 70 ans était le gendre de Nicolo Rizzuto et le beau-frère de Vito. Il a été enlevé par des individus déguisés en policiers qui l'ont intercepté à bord de son véhicule sur le boulevard Gouin, tout près de sa résidence. Renda était le

consigliere et trésorier du clan. Il n'a jamais été revu depuis et la police le croit mort.

29 JUIN 2010
Meurtre d'Agostino Cuntrera
Cuntrera, 66 ans, a été tué avec son garde du corps devant son entreprise d'équipements de restauration dans l'arrondissement Saint-Léonard. Même s'il cherchait à s'éloigner de la mafia, celui que l'on surnommait «le Seigneur de Saint-Léonard» brassait encore des affaires au moment de sa mort, si l'on se fie à des conversations captées lors de la récente opération Matamore par laquelle la police a démantelé un réseau d'importateurs de cocaïne. Cuntrera a été directement impliqué dans l'élimination du clan Violi et l'ascension des Rizzuto dans les années 1970 et 1980.

11 NOVEMBRE 2010
Meurtre de Nicolo Rizzuto
Le patriarche de 86 ans, qui ne sortait plus de chez lui, a été abattu d'une balle à la tête, sous les yeux de sa femme et de sa fille, alors qu'il entrait dans la cuisine de sa résidence de [l'avenue] Antoine-Berthelet. L'assassin, qui ne serait pas nécessairement un tireur d'élite, est passé par un boisé et a profité de la noirceur pour s'approcher de la maison et tirer au travers d'une fenêtre. Ce meurtre marque la fin du clan Rizzuto.

«Le meurtre de Nick Jr. a été un choc pour tout le monde, se remémore Andrew Scoppa. Toute la ville était ébranlée. Tout le monde était secoué dans le milieu, au point où tu pouvais lire la peur dans les yeux et la sentir dans les gestes. La vraie peur. Pourquoi? Parce que personne ne se serait imaginé

121

qu'on aurait pu faire ça à quelqu'un comme lui. Alors ça a causé toute une onde de choc. Surtout chez ceux de la vieille génération. Plusieurs étaient blancs comme des draps. Ils se disaient : "Si une chose pareille a pu arriver à Nicky, ça peut arriver à n'importe qui et à moi aussi !" Parce que quelqu'un avait osé s'attaquer à la Royauté. Parce qu'il faut comprendre que la famille Rizzuto, c'est un peu comme la Royauté. Et quand un membre de la Royauté se fait descendre comme ça en pleine rue...

« Vito a pleuré au téléphone quand il l'a appris alors qu'il était détenu à Florence, au Colorado. C'est Leo [Rizzuto] qui l'a appelé, je crois. Vito n'a pas pleuré quand son père a été tué mais pour son fils, oui.

« La mère de Nicky était dévastée. Elle est tombée à genoux en apprenant la nouvelle. À la maison. C'est ce qu'on m'a dit. Elle n'a pas crié vengeance immédiatement. Non, avant, tu dois te remettre du choc et de la tristesse. Tu traverses trois phases après une épreuve comme celle-là. D'abord le choc. Puis la détresse, la tristesse qui accompagne la perte de l'être aimé. Ensuite vient la colère. La colère vient toujours après le choc et le deuil. La mère de Nicky voulait assouvir cette vengeance. Magi lui avait pris son bébé... Quoiqu'elle ne devait pas se préoccuper de tous les autres bébés que le clan Rizzuto avait pris avant le sien...

« Nick Jr. était alors le seul qui était actif dans la famille. Il s'occupait des dossiers de construction dans lesquels son père était impliqué. Il était dans les affaires légitimes. Pas dans les affaires de la rue. Leo n'était pas vraiment dans le portrait à ce moment-là. Vito voulait que Nicky réussisse dans le domaine de la construction. Il s'occupait du 1000, de la Commune, d'un projet de développement domiciliaire au DIX30 et d'un autre sur Saint-Laurent près de René-Lévesque. Et de celui du chemin Upper-Lachine près duquel il s'est fait tuer. Vito ne voulait pas qu'il se retrouve à sa place. Il était fier que Nick prenne cette voie et pas l'autre... Parce qu'il ne voulait pas que ses enfants trempent dans la drogue.

« C'est à partir de là que tout a changé. Le meurtre de Nick Jr., c'est le point tournant. Ça a mis la table pour ceux qui voulaient tirer profit de la situation. Et ils ont saisi l'opportunité qui s'offrait à eux. Je dirais que ça a pris une semaine pour qu'ils sachent d'où venait le coup. Ils n'avaient pas peur du gars qui a commandé le meurtre, Magi. Mais ils craignaient celui qui l'a fait...

« Magi est un entrepreneur qui a crossé plein de monde. Un ostie de mangeux de marde, un menteur, un tricheur, un arnaqueur. *Piece-of-shit-no-good-for-nothing-motherfucker*... Il avait des contrats avec la pègre juive. Il a eu des liens avec Desjardins. Et avec Nicky qui s'occupait du 1000, de la Commune avec lui.

« Mais à ce moment-là, Magi devait 1,5 million de dollars au restaurateur Freddy Del Pescio, que Vito connaissait bien. Magi a demandé à Ducarme Joseph, un chef de gang de rue qui était surnommé "Kenny", de tuer Del Pescio. Ducarme lui avait offert de tuer n'importe qui il voulait. Del Pescio a été le premier. Ensuite, ça a été Nicky. Alors Tony Magi a fini par se faire descendre parce qu'il a fait tuer Nick Jr. Comme Ducarme a payé de sa vie parce qu'il a tué Nicky pour Magi.

« Kenny [Ducarme Joseph] s'est attaqué à la Royauté. À ce moment, il était considéré comme une étoile montante. Non seulement il était ambitieux et confiant en ses propres moyens, mais il était encouragé par certains mafieux de carton qui le portaient aux nues et disaient à qui voulait l'entendre : "C'est lui la nouvelle vedette." Kenny ne s'est pas fait manipuler, c'est lui qui manipulait l'autre. Il a juste saisi sa chance. Il a vu que Magi, un gros entrepreneur en construction, avait besoin de protection après s'être fait tirer dessus en août 2008. Et il s'est mis dans la tête de s'occuper des problèmes de Magi. Et montrer qu'il n'avait peur de personne. Même pas de la Royauté. Alors il s'est occupé d'éliminer Freddy Del Pescio, qui était sur le dos de Magi pour qu'il lui rembourse son 1,5 million de dollars. Kenny l'a buté en août 2009. Ensuite, il a passé Nicky. Il s'est fait toute une réputation. Personne ne l'avait vu venir. Kenny l'a fait pour l'argent. Il savait que s'il faisait ça, Magi lui donnerait tout ce qu'il voulait.

« Ce qui l'a aidé, c'est qu'à ce moment, les Hells Angels étaient tous en prison à cause de l'opération SharQc du printemps 2009. Kenny se sentait à l'aise d'agir. Il voyait que les motards n'étaient pas là pour s'interposer ou le confronter. En plus, il y avait encore plusieurs Italiens qui purgeaient toujours leur peine de l'opération Colisée. Et dehors, il en restait bien peu capables de riposter. Nicky, tout le monde l'aimait. Et il avait des contacts avec les motards. Alors Kenny savait qu'il aurait eu affaire à eux s'ils avaient été en liberté. Mais là, il n'y avait pratiquement personne pour lui donner la réplique.

« Même les ennemis des Rizzuto ont été secoués par ce meurtre-là. Les gars qui travaillaient pour Magi et Kenny n'étaient pas gros dans leurs culottes. Ils étaient paranos. Ils se disaient tous : "Qui va s'en prendre à nous pour se venger maintenant ?" N'oubliez pas où Kenny est allé se cacher tout de suite après la fusillade dans son magasin, le 18 mars 2010... chez Magi.

«Tous craignaient Kenny. Spécialement Agostino Cuntrera. Il était si proche de la famille Rizzuto. Il craignait pour sa vie, celle de ses fils... N'oublions pas que Del Pescio s'était fait tuer quelques mois auparavant et qu'un climat d'insécurité avait commencé à s'installer après ce meurtre-là. Mais quand Nicky s'est fait tuer, là tout le monde était dévasté. Tous se sentaient vulnérables. Et faibles. Alors, dans les semaines et les mois suivants, il y en a plusieurs qui ont commencé à s'armer et à se déplacer en véhicule blindé. Tout le monde était sur un pied d'alerte. Agostino était toujours accompagné d'un garde du corps. Mais ça ne les a pas empêchés de se faire tuer, lui et son garde du corps. Il était surnommé "le Seigneur de Saint-Léonard", mais dans les mois avant sa mort, tu pouvais voir la peur dans le regard du Seigneur. Il craignait Kenny, mais finalement, c'est un autre qui l'a tué...

«Ensuite, ça a été le tour du père de Vito, le 10 novembre 2010. Celui-là non plus, c'est pas Kenny qui l'a fait. Le meurtre du vieux Nick, ça aussi, ça a été tout un choc. Le coup qui l'a tué, n'importe qui aurait pu le réussir. Même toi, tu aurais atteint la cible. Impossible de rater son coup. La balle a été tirée avec un fusil muni d'une lunette d'approche et d'un viseur au laser. C'était un calibre .308. Un fusil comme ça, c'est précis. Ça ne produit pas de mouvement de recul quand tu appuies sur la détente, comme c'est le cas avec une arme de poing. Tant que tu vises la cible, la balle part dans cette direction. Et si en plus ton fusil a un viseur laser, le projectile ira directement où pointe ton laser. Je te le dis, même un aveugle aurait réussi son coup! Facile. Le tireur était dehors dans sa cour arrière, à environ 25 pieds de lui. À 4 h 30 de l'après-midi. Nicolo ne voyait rien à l'extérieur de sa fenêtre à cause de l'effet miroir des lumières allumées à l'intérieur de la maison contrastant avec la noirceur qui venait de tomber dehors.

«Est-ce que je sais qui a tiré? Oui. D'ailleurs, ce gars-là est toujours vivant. N'oubliez pas ce qui est arrivé avant. Regardez la séquence qui mène à la mort du patriarche. Le 28 décembre 2009, Nicky se fait descendre. En mars 2010, Ducarme se fait essayer, mais il s'en tire. En mai 2010, Paolo Renda est kidnappé et disparaît pour toujours. En juin 2010, Agostino [Cuntrera] et son garde du corps se font tuer. En novembre 2010, le vieux Nick se fait tirer chez lui. Alors que pensez-vous de cette séquence? C'est brillant comme plan d'action. Ça pourrait laisser croire que Kenny et l'autre gars travaillent ensemble, mais dans les faits, pas du tout. À l'exception du meurtre de Nicky, que Kenny a tué pour Magi, le reste, ça ressemble à un *pattern*. Ça vient de la même personne, non? Si vous aviez à deviner qui est derrière tout ça, ne croyez-vous pas que ça vient de la même place? Les apparences sont trompeuses. Moi, je dis toujours: "Ne crois rien de ce que tu entends et crois seulement la moitié de ce que tu vois."

«Pendant toute cette période-là, les plus jeunes voyaient cette crainte chez les vétérans et ils la ressentaient eux aussi. Ils avaient tous peur. Et ils ont tous appelé une certaine personne... *a certain somebody*... pour venir à leur rescousse. Ils voyaient cette certaine personne comme un Sauveur potentiel. C'était une personne que Kenny voulait tuer aussi. Mais à ce moment, cette personne-là ne pouvait pas s'en mêler parce qu'elle était en libération conditionnelle et avait des conditions à respecter si elle ne voulait pas être ramenée au pénitencier. À sa grande déception, d'ailleurs...»

Et tout en disant cela, Scoppa pointe son index vers sa poitrine pour que nous comprenions que cette «certaine personne», c'était lui, même s'il ne veut pas s'identifier clairement sur notre enregistrement.

Comment Andrea Scoppa peut-il connaître autant de détails entourant l'assassinat du père de Vito Rizzuto ? Comment peut-il détenir des renseignements aussi précis, que la police n'a pourtant jamais révélés afin de ne pas compromettre ses chances d'appréhender le tireur, ce qu'elle n'a d'ailleurs toujours pas réussi à faire ? Lorsque nous lui posons la question, Scoppa réalise peut-être qu'il en a assez - ou trop - dit et nous répond seulement d'un regard... Un « regard de la mort », qu'il pouvait vous lancer à la façon de Robert De Niro dans *Le Parrain 2* ou *Goodfellas* (*Les Affranchis*). Sauf que Scoppa, lui, ne jouait pas dans un film. Il valait mieux changer de sujet et ne pas insister.

CHAPITRE 9
LA RANCUNE

Au fil de nos rencontres, force est de constater que Scoppa s'apitoie sur sa situation et sur son sort, mais, autre élément récurrent, il y a aussi en lui de la rancune. La foutue rancune. Scoppa est rempli d'une haine pour plusieurs personnes. Cette haine semble le ronger. Il se crispe et sa mâchoire se contracte quand il en parle. Surtout quand il s'agit des jeunes mafieux, qu'il traite de tous les noms.

Bizarrement, il exprime beaucoup plus souvent de la haine envers la mafia qu'envers la police. Lors de nos rencontres, il dit beaucoup plus de mal des mafieux que des policiers. Parmi les nombreux mafieux qu'il critique vertement, il y a Raynald Desjardins.

«Le meurtre de Nicky, c'est l'étincelle qui a allumé Raynald Desjardins. Lui, il n'était pas effrayé par tous ces meurtres. Il s'est plutôt dit : "C'est le temps d'y aller!" Ça lui a ouvert les portes. Avec Vito emprisonné aux États-Unis et son fils Nick assassiné, qui dans le clan Rizzuto allait pouvoir lui faire peur? Il a profité de la situation», affirme Scoppa. Mais s'il dit vrai, Desjardins n'en a pas profité bien longtemps.

Né Rénald Joseph Ernest Serge Desjardins, le 2 octobre 1953, à Montréal, Raynald Desjardins est le cinquième d'une famille de six enfants. «Canadien français», comme il se décrit lui-même lors d'une conversation téléphonique épiée par la GRC, le caïd a à peine 20 ans quand il exécute l'une de ses premières tâches pour le compte de la mafia montréalaise, à la demande de son beau-frère, Joe Di Maulo, qui a marié sa sœur aînée, Huguette. Haut gradé du camp Cotroni-Violi, Di Maulo demande au jeune Raynald de les conduire à New York, lui et le futur parrain Paolo Violi, pour l'élection du prochain chef de la famille Bonanno. Quelques mois auparavant, après un second procès, Di Maulo a été acquitté d'un triple meurtre survenu en 1971 au Casa Loma, le célèbre cabaret dont il était le gérant et où se sont produits des artistes de renom comme Alys Robi, Ginette Reno et Claude Blanchard.

Lorsque les Rizzuto prennent le pouvoir après la fin du règne Cotroni-Violi au début des années 1980, Joe Di Maulo compte parmi les principaux ténors du clan calabrais qui décident de se rallier aux nouveaux leaders d'origine sicilienne – avec Moreno Gallo, qui a déjà été condamné en 1973 pour sa participation au meurtre d'un trafiquant commandé par le clan Cotroni, et dont le nom circulera plus tard parmi les successeurs potentiels de Rizzuto après son extradition en 2006.

Raynald Desjardins ne tarde pas à devenir un des hommes de confiance de Vito Rizzuto. Il devient même l'un des voisins du nouveau parrain, de son père, Nicolo Rizzuto, et du *consigliere* du clan, Paolo Renda, dans un quartier huppé du nord de l'île de Montréal. Desjardins et Vito Rizzuto font notamment l'objet de quelques enquêtes policières sur des importations massives de haschisch et de cocaïne. Desjardins est le seul à se faire prendre.

«Raynald disait qu'il avait "fait du temps", ou dans le jargon qu'il avait fait de la prison pour M. Rizzuto. Cette enquête, c'était le projet Jaggy de la GRC, où M. Desjardins a reçu une peine en lien avec un complot d'importation de haschisch et de cocaïne en provenance du Venezuela. Il y a des conversations que la GRC a interceptées où M. Rizzuto parle avec M. Desjardins», selon le témoignage à la commission Charbonneau de l'enquêteur Nicodemo Milano, également spécialiste du crime organisé à la police de Montréal.

Comme le procureur de la Couronne James Brunton l'explique au tribunal, Desjardins est «l'âme dirigeante du complot», qui vise au départ à ramener des Antilles 5000 kg de cocaïne et plus de 9000 kg de haschisch, en faisant deux voyages par bateau, en 1993. La mafia s'est associée aux Hells Angels pour ce projet et Desjardins apparaît «clairement en position d'autorité» sur les motards, d'après la poursuite. Les policiers l'ont notamment observé entrer dans le bunker des Hells Angels de Saint-Nicolas, sur la rive sud de Québec, puis en ressortir en compagnie de nul autre que Maurice «Mom» Boucher, avec qui il va ensuite manger dans un restaurant. Desjardins fait aussi appel à un autre mafioso, Antonio Pietrantonio - un homme d'affaires surnommé «Tony Suzuki» parce qu'il a déjà exploité un concessionnaire d'automobiles de cette marque japonaise - pour coordonner les transactions de drogue au Venezuela. Leur plan tombe à l'eau en raison de l'embauche par la GRC d'une taupe au sein des narcotrafiquants ainsi que d'une panne de gouvernail qui force l'équipage du *Fortune Endeavor* à larguer sa cargaison de 740 kg de cocaïne au large des côtes de la Nouvelle-Écosse.

Raynald Desjardins écope de la plus lourde peine infligée à la suite de cette enquête, soit 15 ans d'incarcération. «Tony Suzuki» est condamné à 3 ans d'incarcération, tandis que trois membres des Hells de Québec se voient imposer des peines entre 10 et 13 ans de pénitencier. Ni «Mom» Boucher ni Vito Rizzuto n'ont été accusés.

En 1993, l'année de l'arrestation de Desjardins, Giovanni «Johnny» Bertolo est condamné à 12 ans de taule dans une tout autre affaire, pour avoir comploté l'importation de 58 kg de cocaïne au port de Montréal. En plus d'avoir trempé dans le marché de la drogue et le prêt usuraire, Bertolo a aussi été représentant du syndicat local des peintres affilié à la FTQ-Construction. Surtout, c'est un grand ami et un protégé de Desjardins. Ce dernier est en libération conditionnelle depuis un an quand Bertolo se fait mitrailler par trois tireurs alors qu'il sort d'un gymnase dans le quartier Rivière-des-Prairies. Tant dans le milieu policier que dans le monde interlope, on dit que ce meurtre est le point de rupture entre Desjardins et le clan Rizzuto.

«Desjardins était avec les Cotroni au début, relate Andrew Scoppa. À cause de Joe Di Maulo, son beau-frère. Mais il a rencontré Vito, qui était un gars tellement aimable. Vito avait toujours quelque chose d'intelligent à dire sur un tas de sujets. Il avait des connaissances sur à peu près tout. Et Vito aimait bien Raynald. Il passait beaucoup de temps avec lui. Ils étaient amis.

«Raynald et Joe Di Maulo sont quasiment semblables. Ils ne se préoccupent que d'eux-mêmes. Tous deux sont du genre à aider quelqu'un si et uniquement si ce quelqu'un peut leur rapporter quelque chose. Ils adorent l'argent. Raynald a fait faire de l'argent à Vito, qui lui faisait confiance. Mais Di Maulo n'a jamais fait faire de l'argent à Vito.

«Ce que les gens ignorent, c'est que même à cette époque, Raynald détestait Paolo Renda, Compare Frank Arcadi et Rocco Sollecito, parce que ceux-ci le haïssaient. Ils ne l'ont jamais aimé, car Raynald éloignait Vito d'eux. C'est pourquoi Raynald entretenait de la rancune envers les proches de Vito et les haïssait lui aussi. Sa haine remontait à plusieurs années. En plus, il voulait venger le meurtre de son ami Bertolo, qu'Arcadi avait autorisé en 2005. Ils s'étaient débarrassés de Bertolo parce qu'il leur disait: "*Fuck you!* Je n'ai de comptes à rendre à personne." Bertolo était un bon gars. Il était également devenu un mentor pour Vic Mirarchi, qu'ils ont aussi voulu éliminer durant cette période. Mais Mirarchi a eu la vie sauve et il est devenu l'associé de Raynald par la suite.

«Alors Raynald a eu sa chance de se venger après le meurtre de Nicky. Et ça tombait bien parce qu'il n'était pas le seul qui cherchait à assouvir sa vengeance contre les gars des Rizzuto. Giuseppe [Ponytail] De Vito aussi. C'est lui qui a tué Agostino Cuntrera, "le Seigneur de Saint-Léonard". Et cinq ou six autres, au moins. À ce moment-là, De Vito avait le sentiment que sa vie était ruinée à cause du clan Rizzuto, il était en cavale et la GRC lui courait après pour l'arrêter dans l'opération Colisée. "Ponytail" avait une dent contre l'entourage des Rizzuto, qui l'avait mis dans le pétrin en le convoquant à des réunions secrètement enregistrées par les policiers de la GRC dans l'enquête Colisée, qui l'avait compromis en le faisant parler, en volant sa dope... Alors Raynald s'est associé à De Vito. Et toute cette période a donné lieu à un tas de complots et de coups fourrés...

« Raynald est un gars très sournois. Il savait qu'il ne pourrait jamais accéder au sommet de la hiérarchie parce que c'est un Canadien français et que seuls les Italiens peuvent être faits hommes d'honneur. Mais il aime le pouvoir et a toujours voulu tirer les ficelles. De toute façon, Raynald n'aimait aucun de ces gars-là. Le seul qu'il avait aimé, c'était Vito. Et là, ce n'était plus le cas. Il s'est retourné contre lui. Il s'en est pris au reste de la famille et à ses fidèles. Si tu les frappes eux, c'est comme si tu frappais Vito. Pourtant, Vito lui avait sauvé la vie, à Desjardins. Plusieurs fois même. Et c'est de cette façon qu'il l'a remercié. C'est dégueulasse. Je ne dis pas que Vito était parfait. Il ne l'était pas. Et je ne dis pas qu'il a toujours pris de bonnes décisions. J'étais en désaccord avec certaines d'entre elles. Mais quand même. Et là, Montagna est arrivé dans le portrait... »

Extrait d'un article d'André Noël, coauteur du livre *Mafia Inc.* avec André Cédilot, intitulé « Salvatore Montagna : le ferronnier devenu mafioso », publié dans *La Presse* au lendemain du meurtre de l'aspirant parrain Salvatore Montagna, le 25 novembre 2011 :

Salvatore Montagna était un des acteurs importants de la mafia montréalaise depuis deux ans, à côté de son collaborateur Domenico Arcuri, d'origine sicilienne comme lui, du vieux Calabrais Joe Di Maulo et du caïd Raynald Desjardins. Tous les quatre étaient pressentis pour devenir chef. Le premier ayant été tué, qu'arrivera-t-il des trois autres? La réponse à cette question va continuer de s'écrire dans le sang. L'assassinat d'hier survient deux mois après la tentative de meurtre contre Desjardins.

Étrange destin que celui de Montagna, qui aura passé seulement 3 des 39 années de sa vie à Montréal et dans sa banlieue : la première et les deux dernières. Il a vu le jour ici, mais il a grandi à Castellammare del Golfo, petite ville de Sicile qui a vu naître Joseph Bonanno, fondateur de l'une des cinq grandes familles mafieuses de New York.

Montagna a quitté la Sicile pour New York vers l'âge de 15 ans. Très jeune, il a fondé une petite entreprise de métal, la Matrix Steel Co., d'où son surnom de Sal the Ironworker (Sal le ferronnier). Il s'est marié, a eu trois enfants, et donnait toutes les apparences d'un immigrant dynamique et travaillant.

En 2002, il a été arrêté avec les membres de l'équipe de Patrick DeFilippo, qui avait assassiné Gerlando Sciascia, mieux connu sous le surnom de George le Canadien. Sciascia faisait la liaison entre la famille Bonanno et le clan de Nick Rizzuto et de son fils Vito à Montréal, dont il était très proche. Les Rizzuto n'ont jamais accepté ce meurtre.

Montagna a été accusé de pari illégal et de prêt usuraire. Il a refusé de dénoncer ses complices. Jouant la comédie, il a affirmé qu'il ne se souvenait de rien, même pas de la date de son mariage. Il a demandé à la blague au procureur de ne pas en informer sa femme. Le juge ne l'a pas trouvé drôle et l'a condamné pour outrage au tribunal.

En 2006, la famille Bonanno traversait une période difficile. Son chef, Joseph Massino, avait décidé de collaborer avec les autorités. Sal the Ironworker s'était bien comporté au tribunal et a été nommé chef suppléant. Il était jeune pour ce poste, ce qui lui a valu un autre surnom, celui de Bambino Boss.

Il n'a pas eu le loisir d'occuper cette fonction bien longtemps. Les autorités américaines ont décidé de l'extrader dans son pays d'origine, le Canada, le 6 avril 2009. Il a emménagé dans une maison d'un de ses cousins à Saint-Hubert, sur la Rive-Sud.

À la fin de 2009, Nicolo Rizzuto, fils de Vito, a été assassiné. Montagna a constaté que ce meurtre n'avait pas déclenché de représailles. Selon lui, le champ était libre pour réorganiser la mafia montréalaise. Il a fait de nombreux voyages en Ontario et s'est fait voir dans les restaurants mafieux de Montréal. Il a poussé l'audace jusqu'à visiter des hommes d'affaires influents de la communauté italienne ; il leur a fait savoir que c'était à lui, dorénavant, qu'ils devaient payer leur pizzo (ou redevance).

Le journaliste concluait son article en rappelant que Montagna, Arcuri, Desjardins et Di Maulo avaient tenté de prendre ensemble la relève du clan Rizzuto, mais que des conflits ont fini par éclater.

Le jour même où cet article est publié, la police enregistre une conversation téléphonique entre Raynald Desjardins et une de ses amies :

— Comment est-ce qu'il va, Capucin ? demande Desjardins, en utilisant le surnom qu'ils donnent à Domenico Arcuri.

— Capucin, je l'sais pas. Il allait pas pire mais là, il est dans le journal à matin. Il doit pas être content, répond son amie, qui connaissait aussi Arcuri.

— Il est dans le journal pourquoi ?

— C'est dans *La Presse*. Ben, à cause de Montagna, là. Il disait que Dominic était présumé parrain pis que là, il avait un compétiteur qui était mort. Ç'a pas de bon sens [rire].

— Ah ben, ils sont rendus malades eux autres, tabarnac ! [...] Tout pour faire vendre des journaux [*sic*].

— C'est Noël qui a écrit ça. Qu'il y avait quatre aspirants. Di Maulo...

— Ouais.

- Il y avait Desjardins. Il y avait Domenic Arcuri, pis il y avait Montagna. Ça fait que là, il y a un de moins...

- Ils comprennent pas que je suis, je suis, crisse... Canadien français. Même si tu me donnerais une carte de membre du crime organisé, j'en voudrais pas, tabarnac. Je retournerais ma carte comme une carte de crédit. Câlisse! J'ai la paix, la sainte paix. C'est ça que je veux.

- [rire] Ben au moins, quand ils ont parlé de toi dans le journal, ils ont dit, euh, «Raynald Desjardins, l'homme d'affaires»! J'ai dit: «Ah ben! C'est ben la première fois qu'ils l'appellent de même»...

- Ah ben, ça commence... [rire]

- D'habitude, ils font toujours référence à «l'ex-bras droit» [de Vito Rizzuto], t'sais... Mais là, Dominic, aspirant chef... Faut vraiment qu'on présente Dominic aux journalistes! Ç'a pas de sens.

- Ç'a vraiment pas de sens. Ben là, Dominic va aller se cacher pendant deux mois. On vient de le perdre jusqu'après Noël! Pauvre Capucin, câlisse...

Moins de 24 heures après le meurtre de son ex-associé Salvatore Montagna, Desjardins doit bien se douter que les lignes téléphoniques de sa résidence cossue à Laval – sur le bord de la rivière des Prairies, avec un ascenseur et 16 caméras de surveillance – et du bureau de son entreprise de construction, à Anjou, ont pu être mises sous écoute électronique par les policiers. Il ne dit rien d'incriminant, bien au contraire. Le caïd, alors âgé de 58 ans, ignore toutefois que le mal est déjà fait pour lui et ses complices, dont son protégé aux origines calabraises Vittorio Mirarchi, qui l'a invité à son mariage aux Bahamas deux ans plus tôt. Mirarchi, en qui les forces de l'ordre verront un parrain potentiel quelques années plus tard, est alors soupçonné d'être un gros importateur de cocaïne par la GRC, même s'il n'a jamais été inculpé de ce crime.

Depuis l'automne 2010, l'Unité mixte d'enquête sur le crime organisé de la GRC mène une opération d'écoute électronique à l'appui du projet d'enquête antidrogue baptisé Clemenza. Cette enquête, la plus ambitieuse entreprise contre la mafia montréalaise depuis Colisée, vise d'abord à démanteler un vaste réseau d'importation de stupéfiants, dont Mirarchi est l'un des leaders allégués. En 2011, cette organisation mafieuse aurait importé près d'une tonne et demie de cocaïne au Canada, d'une valeur de 70 millions de dollars. Selon la preuve, l'organisation dispose de contacts pour transporter la drogue entre la Colombie et le Mexique dans des sous-marins, à la façon du défunt baron de la drogue Pablo Escobar. Des camionneurs québécois auraient aussi été envoyés dans la région de Los Angeles chercher une vingtaine de cargaisons de coke. Pas moins de 16 appareils BlackBerry que la GRC attribue à Mirarchi sont notamment épiés durant cette enquête.

En cours de route, la police fait une découverte pour le moins étonnante. «Le clan de Mirarchi et de Desjardins a accès aux messages [textes cryptés] échangés [via des appareils BlackBerry] entre les membres du clan de Montagna. Mirarchi se faisait livrer un compte rendu des échanges et parfois une copie de ces derniers pour ensuite en informer Desjardins», selon un document judiciaire qui précise que ces communications électroniques espionnées illégalement leur étaient relayées par Steven D'Addario et Giuseppe Colapelle. Ce dernier, un trafiquant que les autorités disent impliqué dans le financement des importations de cocaïne ciblées par la GRC, compte d'ailleurs parmi les 220 invités aux noces de la fille de Raynald Desjardins au club de golf Le Mirage, à

Terrebonne, le 1er octobre 2011. Colapelle, qui est le plus géné-reux des convives - il offre la somme de 5000 $ en cadeau aux nouveaux mariés -, échange des textos avec un ami lors de ces noces, dans lesquels il se dit « certain qu'il y a des agents doubles ici aussi », comme le journaliste Paul Cherry l'a plus tard relaté dans *The Gazette*.

Desjardins, que Mirarchi et les subalternes des deux hommes surnomment « le Vieux », s'est bel et bien allié à l'ex-chef de la famille Bonanno pour prendre le contrôle de la mafia à Montréal à la suite de la chute apparente du clan Rizzuto. Mais ce mariage de raison est de courte durée. À l'été 2011, Mirarchi surprend Montagna dans une fourgonnette en com-pagnie de deux mafieux qu'il croit associés au clan Rizzuto, Lorenzo Lopresti et Antonio Pietrantonio (Tony Suzuki). « Quand ils m'ont vu, ils sont restés figés. Je leur ai envoyé la main, ils m'ont salué et ont déguerpi », écrit Mirarchi à Desjardins le 20 juillet 2011, et celui-ci lui répond : « C'est pas normal. » Lopresti est abattu le 24 octobre suivant alors qu'il fume une cigarette sur son balcon à Saint-Laurent. Le 13 décembre, c'est au tour de Pietrantonio d'être atteint par balle à l'entrée d'un restaurant portugais du quartier Villeray, mais il survit à cette tentative de meurtre.

De plus, Desjardins et Mirarchi ne semblent pas apprécier que Montagna veuille s'approprier la totalité des revenus des paris illégaux et des prêts usuraires - ce qu'on appelle com-munément le Livre, ou *the Book* en anglais - du crime orga-nisé italien. Et ils le trouvent trop agressif dans sa collecte du *pizzo*, la cote que la mafia prélève en échange de sa protection.

Le 4 août suivant, la police intercepte un échange de textos entre Mirarchi et Desjardins :

— Il [Montagna] veut tout le *Book*, écrit Mirarchi.

— Pas pour longtemps. Même si je dois y laisser ma peau, il ne peut pas faire ça. [...] Je ne laisserai pas ce *fucking guy* nous piler sur les pieds, lui promet Desjardins.

Mirarchi ajoute le 15 septembre :

— Ces gars-là sont une vraie *joke*. Ils sont allés dans une boulangerie qui vient d'ouvrir et ils ont dit qu'ils n'avaient pas le droit de vendre de la charcuterie, juste du pain. Pourquoi ? Parce qu'ils sont *the new guys in town* et que « c'est comme ça que ça va marcher ».

— Gang d'ostie d'idiots, répond « Le Vieux », sans se douter de ce qui l'attend le lendemain.

Le matin du 16 septembre, Desjardins voit les vitres de son VUS de marque BMW X-5 voler en éclats quand un individu armé qui vient de traverser la rivière des Prairies sur une moto-marine tire 17 projectiles d'un fusil-mitrailleur AK-47 dans sa direction, sur le boulevard Lévesque, à Laval. L'homme d'affaires, qui porte une veste pare-balles, s'en tire indemne. Son chauffeur et garde du corps réplique en tirant six balles de son pistolet Glock vers leur assaillant, qui prend la fuite. Personne n'est blessé dans cette fusillade survenue sous les yeux d'une conductrice d'autobus de transport en commun et d'autres usagers de la route.

Le caïd s'empresse alors de téléphoner à son ex-partenaire d'affaires chez Carboneutre, Domenico Arcuri, qui fraye avec Montagna. « Je sais que c'est vous autres. Et moi, je vous manquerai pas ! » lance-t-il au copropriétaire d'Ital Gelati, que le clan Desjardins surnomme « Capucin » et « Ice Cream ». Six heures plus tard, un Montagna « paniqué » fait savoir à Desjardins par un de ses proches qu'il n'y est pour rien : « Il dit que "Le Vieux" est son seul allié ici et qu'il n'a aucune raison de lui faire ça. Il dit que ça vient de la famille [Rizzuto], qui est de retour dans le portrait », écrit le messager.

Trois jours plus tard, le sergent Benoît Dubé, un enquêteur aguerri de la lutte au crime organisé à la Sûreté du Québec, s'entretient avec le beau-frère de Desjardins, Joe Di Maulo, afin qu'il use de « son influence auprès des gens impliqués pour calmer le jeu ». Di Maulo, l'un des personnages les plus influents de la mafia à Montréal depuis plus de 40 ans, sert alors de conseiller à Desjardins, qui l'appelle « Queen » (La Reine) en langage codé avec ses acolytes. « M. Di Maulo a répondu que les médias le placent plus haut qu'il est », note l'enquêteur Dubé dans un rapport, en ajoutant que l'ex-numéro 2 de la mafia montréalaise minimise l'importance de son rôle et de son influence dans le crime organisé italien. Le policier rencontre ensuite Desjardins à son bureau d'Anjou, pour l'informer qu'une riposte de sa part risque d'entraîner « une guerre ». Desjardins lui répond qu'il est « une victime de cette histoire » et « une personne "PACIFIQUE" », écrit le sergent Dubé en mettant ce dernier mot en lettres majuscules.

Deux mois plus tard, Montagna est convié sur l'île Vaudry, à Charlemagne, sous le prétexte d'y rencontrer Desjardins pour régler leurs différends. C'est Jack Simpson, un vieux camarade de Desjardins, qui le conduit à son domicile. Cinq minutes plus tard, Montagna attend toujours l'arrivée de Desjardins quand il est atteint de trois projectiles de calibre .357 Magnum. Avec sa Rolex au poignet gauche et son chic veston Burberry sur le dos, mais n'ayant aux pieds que ses bas, il sort de la maison en courant et traverse la rivière L'Assomption avant de s'effondrer dans la neige et de pousser son dernier souffle.

Desjardins « le pacifique » n'aura « la sainte paix » qu'il préten-
dait chérir que durant quatre semaines. Les policiers de la
Sûreté du Québec, forts de 2649 messages incriminants inter-
ceptés par la GRC qui lui sont attribués - 1714 avant le meurtre,
150 le jour du meurtre et 785 autres entre le 25 novembre
et le jour de son arrestation -, lui passent les menottes, à lui
ainsi qu'à ses complices, le 20 décembre 2011. Le caïd est le
premier à plaider coupable à une accusation réduite de complot pour meurtre et écope d'une peine équivalant à 14 ans
de pénitencier.

— Wow, quel gâchis ! réagit Giuseppe Colapelle le soir
  de l'arrestation de Desjardins, de Mirarchi, de Steven
  D'Addario, de Jack Simpson et de trois autres accusés.

— *Bro*, honnêtement, *the French Guy* a ruiné sa vie, lui
  répond un importateur de drogue lié à l'organisation
  de Mirarchi. Je ne sais pas pourquoi ils sont allés aussi
  loin. Pour prendre le contrôle de la ville, ou tenter de
  la diriger, ça représente de gros risques et tu te fais
  des ennemis.

Arrêté quelques années plus tard dans l'opération antidrogue Clemenza, ce trafiquant, tout comme une cinquan-
taine d'autres accusés dans cette enquête, s'en tire indemne
grâce à Mirarchi et ses avocats. En effet, alors qu'il est accusé
de meurtre, Mirarchi veut forcer la Couronne à lui divulguer
les détails de la technologie d'interception de communications que la GRC a utilisée pour épier ses BlackBerry. Un
juge de la Cour supérieure lui donne raison. Plutôt que de
« brûler » cette technique d'enquête en en dévoilant les détails
à la défense, la Couronne fédérale négocie des plaidoyers de
culpabilité sur une accusation réduite avec Mirarchi et tous
ses complices dans le complot du meurtre de Montagna. En
fin de compte, presque tous les présumés trafiquants parmi

les 58 accusés dans le projet Clemenza - au nombre desquels Mirarchi ne s'est finalement jamais retrouvé - obtiennent l'arrêt des procédures, à la demande même de la poursuite.

Quant à Giuseppe Colapelle, qui n'a pas été arrêté en lien avec l'affaire Montagna, il n'est pas inculpé dans l'enquête anti-drogue Clemenza : un tireur le tue par balles dans le stationnement d'un bar du quartier Saint-Léonard, le 1er mars 2012.

En octobre 2016, devant un tribunal en Sicile, le délateur italien Giuseppe Carbone déclare sous serment que Raynald Desjardins « menait la guerre à Rizzuto » pour prendre le contrôle de la mafia montréalaise, durant l'incarcération du parrain aux États-Unis. Carbone fait cette déclaration à Palerme au procès de ses coaccusés, les frères Pietro et Salvatore Scaduto, qu'il a dénoncés et qui ont été condamnés à l'emprisonnement à perpétuité pour les meurtres de deux mafiosi canadiens, dont celui de l'ex-garde du corps du caïd lavallois, Juan Ramon Fernandez, comme le rapportent le *National Post* et des médias italiens. Carbone, qui a déjà vécu au Canada, est le premier - et possiblement le seul - témoin à avoir affirmé devant une cour que Desjardins est le meneur de la sanglante tentative de putsch contre le clan Rizzuto. Les deux meurtres auxquels il a participé, en Sicile, au printemps 2013, sont liés à « une guerre au sein de la mafia au Canada », jure-t-il. Mais Carbone ne peut préciser qui a ordonné d'éliminer Fernandez, surnommé « Joe Bravo » à l'époque où lui et Desjardins étaient tous deux associés au clan Rizzuto à Montréal. Avant son assassinat, Fernandez est toujours en contact avec Desjardins et la police italienne intercepte certaines de leurs conversations téléphoniques. L'enquête permet aussi d'établir qu'après sa libération à l'automne 2012, Vito Rizzuto convoque Fernandez - qu'il appelle Ray -à une rencontre, mais ce dernier se désiste à deux reprises, précise le journaliste Adrian Humphries, du *National Post*. Le 9 avril 2013, Fernandez, 56 ans, et un mafioso ontarien, Fernando Pimentel, sont criblés d'une trentaine de projectiles d'armes à feu. Leurs corps calcinés sont exhumés d'un dépotoir de Casteldaccia, un mois plus tard, après que Carbone a accepté de collaborer avec les policiers. Avant de brûler les cadavres, raconte le délateur, il a pris la montre haut de gamme que Fernandez porte au poignet, un cadeau de Vito Rizzuto. C'est en tentant de la revendre qu'il se fait arrêter, admet-il au procès.

Raynald Desjardins n'a jamais été arrêté ni accusé d'aucun crime perpétré à l'endroit de quelqu'un associé au clan des Rizzuto. Mais il s'est fait plusieurs ennemis. En 2015, l'ex-chef déchu des Hells, Maurice Boucher, complote même afin de le faire assassiner. «Mom» est enregistré en train de dire à sa fille Alexandra, qui le visite dans un pénitencier de Sainte-Anne-des-Plaines, qu'il a trouvé un prisonnier prêt à «passer» Desjardins. Boucher demande à sa fille, qui est enceinte, de transmettre le message à son ex-protégé Gregory Woolley, devenu alors un leader influent du crime organisé montréalais, à la fois proche des motards et du clan Rizzuto. Boucher est le seul à être déclaré coupable dans cette affaire et il écope d'une peine symbolique de 10 ans, lui qui est déjà incarcéré à perpétuité pour meurtres.

Entre 2011 et 2017, pas moins d'une douzaine de personnes proches de Raynald Desjardins ou associées à son clan meurent assassinées. La dernière victime en date est son frère aîné, Jacques Desjardins, 68 ans, porté disparu après avoir avisé sa famille qu'il se rendait à «un rendez-vous», le matin du 30 octobre 2017, selon la police. Sa Volkswagen Passat blanche est retrouvée deux jours plus tard dans une rue

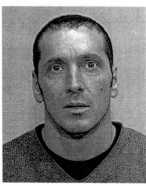

Andrew Scoppa a été tué par balles
en allant s'entraîner dans un gymnase
de l'arrondissement Pierrefonds à
Montréal, le matin du 21 octobre 2019.

Portrait de Scoppa pris par la
police à la suite d'une de ses
arrestations durant les années
1990. Photo non datée.

Le 16 novembre 1995, Scoppa a miraculeusement survécu à un attentat à la bombe à Laval. Une partie de son véhicule a été pulvérisée alors qu'il se trouvait au volant de sa voiture.

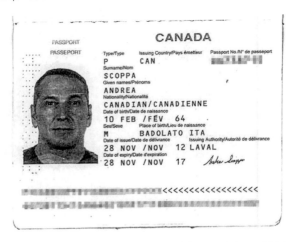

Le passeport de Scoppa précise qu'il est né à Badolato, en Italie, en 1964.

Vito Rizzuto en compagnie de son père, Nicolo, en 1995.

Francesco Arcadi (à droite)
a brièvement dirigé les
opérations de la mafia
montréalaise après l'arrestation
de Vito Rizzuto en 2004.

Nicolo Rizzuto menotté et
en état d'arrestation lors de
l'opération Colisée de la GRC,
le 22 novembre 2006.

Nick Rizzuto Jr. (à gauche) et son frère cadet Leonardo, en 2007, au palais de justice de Montréal. Le fils aîné de Vito Rizzuto a été assassiné par balle le 28 décembre 2009.

Le père de Vito Rizzuto a été tué après que l'assassin l'ait tiré à travers une fenêtre de sa cuisine, le 11 novembre 2010.

Le 20 décembre 2011, la police a saisi plusieurs objets, dont ceux-ci, lors de l'arrestation du caïd Raynald Desjardins à son domicile de Laval pour avoir comploté le meurtre d'un aspirant parrain.

Des ambulanciers tentent de réanimer l'aspirant parrain Salvatore Montagna, abattu de trois projectiles d'arme à feu à Charlemagne, le 24 novembre 2011.

Le chef de gang Gregory Woolley (à gauche) et l'ex-avocat du clan Rizzuto, Loris Cavaliere, photographiés ensemble par les policiers lors des funérailles d'un membre des Hells Angels, le 2 septembre 2012, à Montréal.

Stefano Sollecito (à gauche) a pris la tête des opérations de la mafia après le décès du parrain Vito Rizzuto. Les deux hommes sont filmés ensemble lors d'une opération de surveillance policière lors de l'enquête Magot, en 2013.

Vêtu de façon décontractée, Andrew Scoppa est filmé à l'aéroport Trudeau alors qu'il attend sa valise au retour d'un voyage à Saint-Martin, le 6 mars 2016.

Le 13 juillet 2016, le caïd Salvatore Scoppa (à gauche) est filmé par la police lors d'une rare rencontre avec son frère Andrew, sur la rue Sainte-Catherine à Montréal.

Fazio Malatesta (à gauche) et Scoppa ont été arrêtés dans l'enquête antidrogue Estacade, à l'automne 2016, avant d'être libérés de toute accusation au printemps 2018.

Des journalistes du Bureau d'enquête de Québecor se sont entretenus avec le mafioso Lorenzo Giordano alors qu'il se trouvait en maison de transition à Montréal, le 9 décembre 2015. Il a été victime d'un meurtre moins de trois mois plus tard.

Scoppa montre son téléphone cellulaire à Jonathan Massari, qui sera arrêté pour meurtres trois ans plus tard. Cette photo est prise lors d'une filature policière à l'été 2016.

Antonio De Blasio (à gauche) est filmé alors qu'il rencontre Andrew Scoppa en face d'un supermarché, le 12 octobre 2016. De Blasio sera assassiné dix mois plus tard.

Nicola Valiante (à gauche) en compagnie d'Andrew Scoppa.
Valiante agissait comme chauffeur en 2016 alors qu'ils comptaient
parmi les suspects faisant l'objet de l'enquête Estacade.

Andrew Scoppa était souvent filmé par les policiers en train de vapoter
pendant qu'il est en rencontres d'affaires. On le voit ici en 2016.

La police a saisi 111 kilos de cocaïne lors de l'enquête qui ciblait Andrew Scoppa. Une partie de la drogue a été trouvée à l'intérieur de ces sacs ornés de pictogrammes Emoji.

Durant l'enquête Estacade, les policiers avaient saisi 10 000 $ en billets de 20 $ et deux boîtes de munitions de calibre .45 dans le condo que Malatesta possédait dans la Tour des Canadiens.

Les policiers ont saisi une somme de 35 000 $ en liasses de 100 $. L'argent était caché à l'intérieur d'une table de chevet, dans un condo auquel Scoppa avait accès dans la Tour des Canadiens, au centre-ville de Montréal.

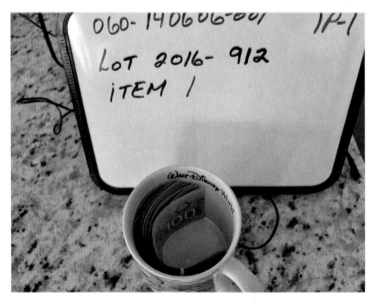

Lors d'une perquisition au domicile de Scoppa en novembre 2016, les policiers ont confisqué 50 billets de 100 $ dissimulés à l'intérieur d'une tasse dans la cuisine.

La police a découvert qu'Andrew Scoppa conservait dans la table de chevet de sa chambre un exemplaire du *Journal de Montréal* faisant état du déclin du clan Rizzuto et des nombreux règlements de compte qui l'ont frappé, ainsi que des livres sur la mafia montréalaise.

Les policiers ont analysé le contenu d'un téléphone cellulaire de Scoppa après son arrestation dans la Tour des Canadiens, le 26 octobre 2016. Ils y ont trouvé ce *selfie*.

Andrew Scoppa s'est vraisemblablement aperçu qu'il était épié par des policiers, à l'automne 2016, lors de l'enquête Estacade.

résidentielle du quartier Sainte-Rose à Laval. Le sexagénaire, qui avait lui aussi déjà trempé dans l'importation de stupé-fiants, a vraisemblablement été attiré dans un guet-apens. La Sûreté du Québec, à qui l'enquête a été transférée, privilégie «la thèse d'un homicide relié au crime organisé», déclare au *Journal de Montréal* l'inspecteur-chef Guy Lapointe un an plus tard.

«Montagna était un gars qui avait du charisme, selon Andrew Scoppa. Quand Nick Jr. s'est fait tuer, Montagna a entrepris de conclure de solides alliances pour prendre le contrôle. Montagna était avec les frères Domenico et Antonino Arcuri, propriétaires de la fabrique de crème glacée Ital Gelati, qu'il connaissait de longue date. Montagna s'est mis à exiger des millions de dollars à un tas de monde, dont des gens très riches. Il exigeait cet argent [*pizzo*] chaque mois sinon... Ils ont demandé 10 millions à l'un d'eux... Le message de Montagna c'était: "Ou vous payez ou il y a du monde qui va tomber autour de vous." Je vais vous dire un truc: quand tu vaux beaucoup d'argent, tu ne cours pas le risque de voir quelqu'un de ta famille se faire descendre et tu paies. T'as pas besoin de ce genre de problème. Alors si ça te coûte 10 millions de dollars par année pour que tu dormes l'esprit tranquille? Marché conclu! Je te les donne avec plaisir. Et maintenant fous-moi la paix! Ils savaient que ces gars-là payaient déjà un tel et un tel, alors Montagna se disait: "Maintenant c'est notre tour."

«Raynald faisait secrètement équipe avec "Vic" Mirarchi. Il était aussi associé avec son beau-frère, Joe Di Maulo. Mais Joe a *choké* quand son nom s'est mis à circuler comme poten-tiel futur parrain en 2010 ou 2011. Il a eu la chienne et a dit à Raynald qu'il ne voulait plus rien savoir. Alors Raynald a tendu la main à Montagna. Et ils sont allés chercher Moreno [Gallo] avec eux. Et Joe [Giuseppe] De Vito. Montagna est allé recruter des gars comme Larry Lopresti, qui avait toujours gardé une dent contre Vito Rizzuto parce que Vito a autorisé le meurtre de son père en 1992. Alors Lopresti a accepté. Montagna a aussi recruté Tony Suzuki.

« Leur but était d'aller chercher le Livre, recruter tous ceux qui étaient du bord de Vito et forcer "le monde" à payer 25 % de leurs profits à Montagna. Certains gars de Vito ont changé de camp et sont allés avec lui. D'autres lui ont dit d'aller se faire foutre. Raynald a dit à Montagna : "Faites ce que vous voulez, en autant que vous mettiez la main sur le Livre et que vous fassiez le nécessaire pour qu'on se fasse payer une taxe de 25 % sur les profits que tout le monde fait dans la *business*."

« Dans le fond, c'est Desjardins qui tirait les ficelles et qui disait à tout ce monde-là quoi faire, tout en laissant croire qu'il ne savait rien et qu'il n'était pas allié avec Montagna. Parce que son alliance avec Montagna devait rester secrète. Personne ne devait savoir ça. C'est lui qui faisait le trouble, mais il passait pour le bon gars. Ça allait bien pour lui. Jusqu'au jour où un gars armé d'un AK-47 a essayé de le tuer.

« En fin de compte, ça n'a pas bien tourné pour Raynald. Il serait maintenant en froid avec Mirarchi. Vous ne vous êtes jamais demandé pourquoi Raynald n'était pas détenu dans la même prison que le reste de sa gang ? Raynald était à Bordeaux avec les motards tandis que Mirarchi et les autres sont restés ensemble à la prison de Rivière-des-Prairies, puis à celle de Saint-Jérôme. Raynald a été le premier à plaider coupable, seul, sans le consentement des autres coaccusés. Supposément, Mirarchi a dit à tous les autres coaccusés : "Vous êtes avec moi ou vous êtes avec lui." Et ils ont tous suivi Mirarchi. On raconte que ça a coûté 3 millions de dollars à Mirarchi en frais d'avocats, notamment pour contester l'interception de leurs textos par la GRC avec des appareils Stingray dans l'enquête Clemenza. Et il a fini par gagner. Desjardins, lui, n'a rien contesté. Étrange, non? Quand Mirarchi est sorti de prison, la première chose qu'il a faite a été d'aller faire la paix avec tout le monde [du milieu] pour lui et ses gars.

«Le pire dans tout ça, c'est que ce n'était pas Montagna qui a essayé de faire descendre Raynald comme il pensait. C'était Roger Valiquette. Oui, je vous le dis. Le tireur qui avait eu le contrat de Valiquette est d'ailleurs un Italien qui était chum avec des Hells. Pourquoi? C'était supposément à cause d'une chicane concernant des terrains qui valaient cher. C'est aussi Valiquette qui a mis la main sur le Livre l'année suivante, encouragé par "Steve Sauce". Je ne sais pas si Raynald le sait maintenant...», conclut Scoppa sans même essayer de camoufler son air amusé.

Le 18 décembre 2013, Roger Valiquette, alors considéré comme le prêteur usuraire le plus important au Québec et comme une figure du crime organisé italien, est criblé de balles près de son luxueux VUS dans le stationnement d'un restaurant St-Hubert sur le boulevard Dagenais Ouest à Laval. Déjà condamné à 8 ans de pénitencier pour avoir trempé dans un complot d'importation de 60 kg de cocaïne entre Miami et Montréal au début des années 1990, il exploitait un petit empire évalué à plusieurs millions de dollars. Il possédait notamment un condo de 1,2 million de dollars à l'île Paton, à Laval, et un yacht de 2,4 millions dans le Sud. L'un de ses collaborateurs était Tonino Callocchia, un mafieux ayant lui aussi fait de la prison pour importation de cocaïne. L'ancien roi des *shylocks* avait également été en affaires avec Raynald Desjardins, selon plusieurs médias.

Deux jours après le meurtre, les journalistes Vincent Larouche et Daniel Renaud rapportent dans *La Presse* que Valiquette venait de participer à la prise de contrôle de l'immeuble ayant abrité le siège social de Carboneutre, la firme de décontamination à laquelle la commission Charbonneau s'est intéressée en 2013.

Extrait de l'article « Meurtre de Roger Valiquette : un acteur clé de l'acquisition du siège social de Carboneutre » de Vincent Larouche et Daniel Renaud, publié dans *La Presse* le 20 décembre 2013 :

Au début de l'année 2013, il a prêté 1 million à des investisseurs qui ont acheté un grand bâtiment commercial sur le boulevard Maurice-Duplessis à Rivière-des-Prairies. C'est dans ce bâtiment qu'était autrefois situé le siège social de la firme de décontamination Carboneutre, une entreprise infiltrée par la mafia à laquelle étaient liés le caïd Raynald Desjardins et le mafioso Domenico Arcuri, avant qu'ils ne prennent leurs distances.

La commission Charbonneau a longtemps analysé cet automne les tentatives infructueuses de Carboneutre pour obtenir du financement du Fonds de solidarité FTQ grâce à la complicité du syndicaliste Jocelyn Dupuis.

En 2012, après l'aventure Carboneutre, l'immeuble du boulevard Maurice-Duplessis avait été la cible d'attaques au cocktail Molotov, comme d'autres propriétés liées à Domenico Arcuri.

Au terme d'une série d'opérations financières complexes qui se sont succédées après le prêt de Roger Valiquette, cette année, l'immeuble est passé aux mains de la conjointe du mafioso Tonino Callocchia, le 28 octobre dernier.

Roger Valiquette y a toujours des intérêts. Valiquette et Callocchia ont été associés par le passé. Callocchia a lui-même été la cible d'une tentative de meurtre à Laval en février dernier. […]

« Évidemment, l'issue de toute cette histoire entre Montagna et Desjardins a été un gros soulagement pour ce qui restait du clan Rizzuto, avec en tête Stefano Sollecito, ne manque pas d'insister Scoppa en bouclant le sujet. Après l'affaire Montagna, c'est moi qui ai contribué à ramener la paix dans le milieu en 2012. Jusqu'au retour de Vito. Mais Steve Sauce était devenu un peu trop excité. Et j'ai fini par me pogner avec lui...», conclut-il en parlant de celui qu'il identifie comme son pire ennemi.

CHAPITRE 10
« LA SAUCE »

Andrew semble avoir toujours deux personnalités. À chacune de nos rencontres à Montréal, je le trouvais extrêmement inquiet, et ce, dès les premières semaines. Anxieux, amer et en même temps, inflexible.

L orsqu'il arrivait, il commençait souvent par me parler de lui. Il se livrait à une sorte d'introspection personnelle, me disant par exemple : « *Look at the mess I'm in* », ou encore : « Ma vie n'est pas facile. » Il pestait contre Stefano Sollecito et la nouvelle génération de mafieux en place qui, disait-il, avaient foutu sa vie en l'air. Et qui avaient aussi foutu la vie de sa famille en l'air. Chaque fois, je l'écoutais déblatérer sur son sort, mais aussi ressasser le dégoût que lui inspiraient Stefano Sollecito, Leonardo Rizzuto, Nick Spagnolo.

Pour comprendre d'où vient son amertume, il faut remonter à l'époque où Vito était incarcéré aux États-Unis. Alors que ça commençait à mal aller ici, Andrew aurait caché le fils de Vito,

Leonardo, Stefano Sollecito, son frère Mario, Nick Spagnolo et plusieurs autres de leur gang. C'est Andrew qui était responsable de les cacher à l'extérieur du pays, en Floride et dans d'autres provinces canadiennes. Il les cachait dans des maisons qu'il louait lui-même à ses frais. C'est Vito qui l'avait chargé de le faire pour ne pas que le clan se fasse anéantir. Puis, au retour de Vito, « Sauce » aurait manœuvré pour lui ravir cette position. L'amertume tient aussi au fait que Stefano et les autres lui doivent de l'argent, car Andrew a payé de sa poche pour les cacher.

Lorsque Vito Rizzuto rentre au Canada, les policiers reçoivent, de la part de sources du milieu criminel - des « indics », comme les Français les appellent communément -, des confidences pour le moins intrigantes concernant la montée en puissance d'une « certaine personne » au sein de la mafia montréalaise. Les renseignements suivants, tirés de documents judiciaires d'un important projet d'enquête antidrogue menée par l'Escouade régionale mixte de lutte contre le crime organisé à Montréal et à Laval, proviennent d'informateurs qui alimentent la police à leurs risques et périls : dans le milieu, il n'y a aucun pardon pour ce qui est vu comme une trahison.

5 septembre 2012

Andrew Scoppa est en attente du retour du parrain Vito Rizzuto en octobre prochain pour faire le ménage. Les motards et les Italiens vont faire front commun contre les [gangs de rue] afin de reprendre leurs anciens territoires. Ils vont tasser les gangs de rue.

13 octobre 2012

Avec le retour de Vito Rizzuto, ce dernier tentera de récupérer ses anciens territoires de drogue. Andrew Scoppa deviendra le bras droit de Rizzuto. Steve Ovadia prendra la place actuelle de Scoppa.

5 novembre 2012

Andrew Scoppa et Vito Rizzuto étaient ensemble la semaine passée. Andrew a dit que Vito pense que la commande de tuer son fils [Nick Jr.] vient directement de Joe Di Maulo.

18 janvier 2013

En février et mars 2013, ça va être dangereux avec la mafia à Montréal. L'organisation d'Andrew Scoppa est en train de préparer des gros changements.

En 2012, alors que Raynald Desjardins entame un nouveau long séjour derrière les barreaux, Vito Rizzuto achève le sien au pénitencier à sécurité maximum de Florence, au Colorado. Le parrain déchu côtoie plusieurs des pires criminels aux États-Unis dans ce bagne surnommé «L'Alcatraz des Rocheuses». Un article publié le 18 mars 2012 dans le New York Post rapporte qu'il est en très bonne forme «grâce à [sa] bonne génétique» et parce qu'il fait de l'exercice physique et mange végétarien. Citant des sources du milieu carcéral, le quotidien new-yorkais ajoute que le parrain a la ferme intention de reprendre sa place quand il sera libéré et de régler les comptes de sa famille, en vengeant les meurtres de son fils Nick Jr. et de son père Nicolo, tués durant son incarcération.

Vito Rizzuto aurait de grandes ambitions à sa sortie de prison. « Je ne veux pas seulement être le parrain du Canada, je veux être le parrain du monde », aurait-il dit durant sa détention, selon l'informateur du *Post*. « J'ai 67 ans et je sais ce que j'ai à faire. »

Trois mois avant que Vito Rizzuto quitte le pénitencier, les autorités américaines ont récompensé l'un des mafiosi qui ont fait condamner le parrain en brisant l'omertà. Le 10 juillet 2013, Joseph Massino, 70 ans, se voit octroyer la permission d'être libéré après 10 ans de détention, alors qu'il s'était déclaré coupable d'avoir participé à 8 meurtres. Massino, qu'on dit malade, a convaincu le même juge qui a imposé à Rizzuto sa peine de 10 ans d'incarcération. L'ex-chef de la famille Bonanno va ainsi pouvoir vivre sous une nouvelle identité et avec la protection de l'État en raison de son « aide inestimable dans la lutte contre la Cosa Nostra », a convenu le juge Garaufis.

La veille de la libération et du retour au pays de Vito Rizzuto, *Le Journal de Montréal* rapporte que « le parrain déchu » va se retrouver « en milieu hostile », car il a perdu une bonne partie de sa garde rapprochée et plusieurs alliés d'autrefois ont « visiblement changé d'allégeance » pendant son absence. Parmi les plus connus de ceux qui lui sont restés fidèles, il y a Rocco Sollecito, qui achève la peine d'emprisonnement que lui a valu l'opération Colisée. Mais ce leader du clan, alors âgé de 62 ans, s'est aussi fait rappeler par les policiers que sa vie est toujours menacée par des rivaux. « Selon des gens du milieu, des membres de sa famille auraient été vus ces derniers mois frayant avec des individus liés à la mafia », mentionne l'article du *Journal de Montréal* du 4 octobre 2012, sans identifier ses fils Stefano et Mario.

Le Journal publie alors une liste des dissidents du clan Rizzuto et de ceux dont la loyauté envers le parrain est alors incertaine. On y retrouve les noms suivants : Joe Di Maulo, Moreno Gallo, Giuseppe De Vito, Raynald Desjardins, Vittorio Mirarchi, Domenico Arcuri, Antonio Magi et Ducarme Joseph.

Les trois premiers sont tués au cours des 13 mois qui suivent le retour de Vito Rizzuto au Canada. Les deux derniers vivent plus longtemps mais finissent par tomber sous les balles.

Joe Di Maulo, l'ex-numéro 2 de la mafia, est le premier à disparaître. Le soir du 4 novembre 2012, l'homme de 70 ans est tué d'au moins une balle dans la tête alors qu'il rentre à sa résidence d'une valeur de plus de 1 million de dollars qui jouxte un club de golf à Blainville. Sa femme Huguette, la sœur aînée de Raynald Desjardins, n'a entendu aucun coup de feu, ce qui laisse penser que l'arme du tueur était munie d'un silencieux.

Le prêtre qui célèbre ses obsèques dit de Joe Di Maulo qu'il était « un homme de cœur, un homme d'honneur et un gentleman ». « Papa, comme te le chanterait ton Frankie préféré [Frank Sinatra] : *You did it your way* », ajoute sa fille Milena en lui rendant hommage.

Dans le livre qu'elle publie en 2018, Milena Di Maulo, fille et femme de mafiosi, livre des détails alors inédits entourant le meurtre de son père, qui n'a pas été solutionné par des mises en accusation.

Le 1er novembre 2012, soutient-elle, son père et Vito Rizzuto, dont la libération de prison remonte au 5 octobre précédent, se sont rencontrés. Rien ne filtre de leur tête-à-tête, mis à part que Joe Di Maulo «trouvait le parrain amaigri». Le lendemain soir, les deux hommes, qui «s'entendaient bien» selon elle, ont cependant une conversation téléphonique «animée» durant laquelle Di Maulo dit à Rizzuto: «Qu'est-ce que tu veux que je fasse? C'est mon beau-frère!» Il fait allusion au frère cadet de sa femme, Raynald Desjardins. «Ma mère m'a dit que, à l'annonce de la mort de Salvatore Montagna, mon père faisait les cent pas dans la maison, fulminant de rage», écrit Milena. «Je savais qu'il allait foutre la merde en faisant cela!» aurait-il dit alors en parlant de Desjardins. Au moment de sa mort, Joe Di Maulo «se savait en danger», selon sa fille. Mais contrairement à Desjardins, «il continuait de se déplacer seul, sans garde du corps».

Le meurtre de Di Maulo est médiatisé à travers le Canada. Le 17 novembre, le *Toronto Star* fait remarquer à ses lecteurs que Vito Rizzuto ne s'est pas présenté aux funérailles de son allié d'autrefois. «*He was a no-show*», écrit le journaliste Peter Edwards dans l'article. «Cela envoie un message clair qu'il n'y a pas de paix ni de conciliation possible [avec ses rivaux]. C'est la guerre: tue ou meurs», ajoute-t-il.

La vendetta se poursuit le 22 janvier 2013. Gaétan Gosselin, un ami proche et partenaire d'affaires de Raynald Desjardins, est tué en face de son domicile à Montréal-Nord, une résidence dont la fille de Desjardins est alors propriétaire. En 2011, alors qu'il se savait en danger, Desjardins estimait Gosselin au point de lui léguer 100 000 $ dans son testament, tout en lui confiant la responsabilité de prendre soin de sa propre mère, âgée de 92 ans (lorsque celle-ci décède en 2013, les autorités carcérales n'autorisent pas Desjardins à être escorté hors du pénitencier pour assister à ses funérailles). Gosselin, 69 ans, qui s'occupe des affaires de Desjardins pendant que ce dernier est en prison, sort des sacs d'épicerie de son VUS quand un membre d'un commando de tueurs à la solde de la mafia fait feu sur lui. Les images du meurtre sont toutefois captées par une caméra de surveillance. Un témoin relève le numéro de plaque du véhicule dans lequel s'enfuit le tireur- le conducteur a commis l'imprudence de prendre sa voi- ture personnelle - et le transmet à la police. Le soir même, celle-ci procède à l'arrestation du tireur et de son chauffeur. Les enquêteurs saisissent alors les téléphones cellulaires des deux suspects, qui sont membres d'un gang de rue des Rouges, ce qui donne au SPVM accès à une série de textos incriminants échangés par les deux hommes, leurs trois com- plices et leur chef, Harry Mytil, sur la préparation du crime et leur filature de la victime.

Neuf jours plus tard, un autre membre du même gang abat un associé du clan dirigé par le caïd Giuseppe De Vito et son ami Alessadro Succapane, devant son domicile du quartier Saint-Léonard. «10-4» texte le tireur à son patron Mytil pour l'aviser que le contrat sur Vincenzo Scuderi a été exécuté. Contrairement à ses hommes de main, Mytil n'est pas arrêté: ses employeurs l'ont liquidé avant, pour lui faire payer les bavures de sa troupe.

Après les meurtres de Juan Ramon (Joe Bravo) Fernandez en Sicile, le 9 avril 2013, et l'empoisonnement au cyanure de "Ponytail" De Vito au pénitencier de Donnacona, le 8 juillet 2013, les règlements de comptes se poursuivent à Acapulco, au Mexique, le 10 novembre de la même année. Comme le souligne alors le *Journal de Montréal*, la date de ce meurtre, dont la victime a elle aussi manqué de loyauté au clan Rizzuto, peut laisser penser qu'on a voulu envoyer un message.

Article d'Eric Thibault, intitulé «Le mafioso montréalais Moreno Gallo assassiné à Acapulco: un autre infidèle du parrain abattu», publié dans *Le Journal de Montréal* le 11 novembre 2013:

Un mafioso infidèle du parrain de la mafia, Moreno Gallo, a été abattu de plusieurs balles à la tête, dimanche soir, dans un restaurant d'Acapulco, au Mexique, trois ans jour pour jour après l'assassinat du père de Vito Rizzuto à Montréal.

Portant un polo rose et un pantalon blanc, l'homme de 68 ans était attablé à la pizzeria Forza Italia quand un tireur vêtu de noir l'a atteint de plusieurs projectiles provenant d'une arme de poing de calibre 9 mm, vers 21 h 20.

Considéré comme un acteur important du crime organisé, il s'était établi à Acapulco à la suite de son expulsion du Canada, l'an dernier.

Lui-même condamné pour meurtre il y a 40 ans, le Calabrais d'origine est devenu le 18ᵉ mafieux québécois assassiné depuis le meurtre de Nick Rizzuto Jr., le fils du parrain de la mafia montréalaise abattu le 28 décembre 2009, dans le quartier Notre-Dame-de-Grâce. [...]

«Niccolo Rizzuto père avait lui aussi été assassiné un 10 novembre, en 2010, trois ans jour pour jour avant le meurtre de Moreno Gallo, a fait remarquer l'auteur Pierre de Champlain, un spécialiste de la mafia. Est-ce une coïncidence? Un retour du balancier? Ça reste à voir.»

L'ex-analyse en renseignements à la GRC a ajouté qu'en novembre 2012, c'est Joe Di Maulo, un autre mafioso influent lié à la coalition vainement formée pour remplacer le parrain, qui a été abattu, chez lui, à Blainville. «Dans la mafia, les vendettas peuvent durer des années.»

Arrivé au pays à neuf ans, Moreno Gallo a débuté dans la mafia au sein du clan calabrais des Cotroni. Selon M. de Champlain, il était un «soldat» de Paolo Violi au moment où il s'est fait arrêter, en 1973, pour le meurtre «bâclé» d'un trafiquant du clan Dubois, sur la rue Saint-Denis.

Lorsqu'il a obtenu sa libération conditionnelle en 1983, il s'est rallié au camp sicilien des Rizzuto. Les policiers de la GRC l'ont observé à 72 reprises au quartier général du clan Rizzuto, le café Consenza, pendant l'enquête Colisée.

Après l'incarcération du parrain aux États-Unis en 2006 pour son rôle dans trois meurtres, le nom de Gallo a même circulé parmi ses successeurs potentiels.

Il a toutefois appuyé l'aspirant Salvatore Montagna, selon les forces policières. Montagna a été abattu à Charlemagne, le 24 novembre 2011. Un meurtre dont le caïd Raynald Desjardins – lui aussi identifié comme un infidèle du parrain – et cinq présumés complices sont accusés.

Moreno Gallo s'est retrouvé en détention une semaine après l'assassinat de Montagna, sa libération conditionnelle ayant été révoquée. Ayant un statut de résident permanent, mais pas sa citoyenneté canadienne, il a été expulsé pour «grande criminalité» par les autorités de l'immigration, en janvier 2012, neuf mois avant le retour au pays du parrain.

Le sexagénaire, dont la famille exploite une boulangerie dans la Petite-Italie, n'a jamais digéré son expulsion, qu'il a contestée en vain.

D'autres vétérans de la mafia ont des raisons d'être nerveux. C'est notamment le cas d'Antonio (Tony) Vanelli, un autre ancien soldat du clan Cotroni-Violi qui accompagnait Moreno Gallo quand ce dernier a abattu un trafiquant du clan Dubois en 1973. Après avoir écopé de sept ans de détention en plaidant coupable à une accusation réduite d'homicide involontaire dans cette affaire, Vanelli s'est ensuite rallié aux Rizzuto quand ils ont pris le pouvoir, mais il s'est fait discret durant l'exil forcé du parrain aux États-Unis. Antonio (Tony) Volpato, qui a fait de la prison aux côtés de Frank Cotroni pour une affaire d'importation de drogue au milieu des années 1990, se trouve aussi dans une situation pas commode. Décrit comme un proche de Joe Di Maulo qui a assisté au mariage de sa fille Milena en 1991, le septuagénaire a d'abord été associé au clan Cotroni-Violi jusqu'à la prise de pouvoir par les Rizzuto, auxquels il s'est rallié. Mais voilà, Volpato a aussi fréquenté le controversé entrepreneur Tony Magi, à l'époque de l'enquête Colisée, en plus d'avoir assisté aux noces de la fille de Raynald Desjardins en 2011. Quant à Tony Mucci, qui a tiré sur le journaliste Jean-Pierre Charbonneau du *Devoir* en 1973 et qu'on a toujours associé à l'aile calabraise de la mafia, il se déplace à Montréal dans un véhicule blindé flanqué d'un garde du corps à l'époque du retour de Vito Rizzuto. Lui-même la cible d'une tentative de meurtre en 2007, il a été accusé de possession d'armes illégales à la suite de perquisitions du SPVM dans son VUS blindé et à sa résidence trois ans plus tard.

Dès son retour au Québec, Vito Rizzuto s'est entouré de plusieurs jeunes loups désireux de former sa nouvelle garde et déterminés à prouver que le clan Rizzuto est loin d'être mort et enterré. Stefano Sollecito, Nicola Spagnolo, Liborio Cuntrera, Marco Pizzi et Vito Salvaggio, entre autres, représentent cette nouvelle génération de mafiosi du clan Rizzuto. Des moins jeunes comme Tonino Callocchia et le prêteur usuraire Roger Valiquette y jouent également un rôle accru. Cela se fait dans l'ombre, sans que leurs noms soient étalés publiquement. Du moins, pas avant quelques années.

En fin de compte, ce sont eux, et non Andrew Scoppa, qui orchestrent la plupart des «gros changements» qui secouent la mafia au cours de cette période et que des sources policières du monde interlope avaient annoncés aux forces de l'ordre. Et contrairement à ce que ces sources prédisaient, Scoppa n'est jamais devenu le bras droit du parrain Rizzuto.

«Steve Sauce est un p'tit malin, nous dit Andrew, les dents serrées, en camouflant difficilement son mépris et sa haine pour celui qu'il voit comme son rival numéro un, Stefano Sollecito. C'est une vipère. Mais il est brillant. Il pense plusieurs coups d'avance comme s'il jouait aux échecs. Tu ne peux pas lui enlever ça. Il faut quand même lui donner ce qui lui revient. Il est brillant mais sournois en maudit! Par exemple, quand Paolo Renda a été kidnappé en 2010, Steve Sauce disait: "Ah!

La famille Rizzuto a ce qu'elle mérite!" Mais dès que Vito est revenu au pays après avoir été libéré de prison, il a couru vers lui comme s'il était son petit chien de poche!

«Vito est revenu au Canada le 5 octobre 2012. Les gars qui sont allés le chercher à l'aéroport de Toronto étaient Poncho [Liborio Cuntrera], Vito Salvaggio, Leo [Rizzuto], Steve Sauce et peut-être aussi [son frère] Mario Sauce. Vito est resté à Toronto parce qu'il avait de la famille là-bas. Et il avait des gens à rencontrer là. Il y a passé une semaine. C'était important pour lui de savoir si les Calabrais à Toronto étaient impliqués dans tout ce qui est arrivé à Montréal pendant son absence, dont la mort de son fils aîné et de son père. Il a rencontré certains des plus hauts dirigeants mafieux. Et ils lui ont assuré que non, les Calabrais de Toronto n'avaient rien à voir là-dedans. Ils n'étaient pas impliqués. Et ils lui ont offert leur aide si jamais il en avait besoin. Vito avait donc leur appui. Il les a d'ailleurs appelés pour discuter juste avant ce qui est arrivé à Joe Di Maulo.

«Mets-toi à sa place : il revient et s'aperçoit que plusieurs de ses vieux amis sont devenus ses ennemis. Vito voulait d'abord savoir qui étaient ses ennemis, qui était resté son allié et sur qui il pouvait compter. Son premier arrêt fut donc à Toronto pour s'assurer que les Calabrais n'étaient pas impliqués. Parce que dans le cas contraire, la crise aurait été beaucoup plus compliquée à gérer. Beaucoup plus.

«Ensuite, ils l'ont caché dans un endroit gardé secret, à la campagne, dans les Laurentides. C'était pas loin d'un terrain de golf, mais il ne pouvait pas jouer parce que c'était plus la saison. Vito adorait le golf. Il restait là, entouré de deux ou trois gardes du corps en tout temps. Ils ne le laissaient jamais seul.

« Vito savait qu'il était devenu une cible pour ses ennemis. Il n'y avait aucune chance à prendre. Son fils aîné, son beau-frère et son père avaient été assassinés en son absence. Il savait donc que ses ennemis avaient assez de couilles pour tenter de l'éliminer lui aussi. Et il savait que ça ne venait pas d'une seule personne ou d'un seul clan. Il a fini par le savoir assez vite en questionnant certaines personnes. Comme Di Maulo. Tony Mucci, la girouette... Tony Vanelli. Et Tony Volpato, le champion des mafieux en carton! Parce que ça s'était dit dans le milieu que Volpato avait paradé avec Magi et Ducarme Joseph quand Vito était parti. Il a dû souiller son pantalon quand Vito est revenu...

« Vito est resté là-bas dans le Nord pendant quelques mois. Quand il avait des visiteurs, ses gars allaient les chercher à tel endroit et ils les reconduisaient en s'arrangeant pour que la visite ne puisse pas savoir où la planque se trouvait exactement. Je crois que Vito est revenu chez lui pour Noël. Après, en mars, sa maison sur l'avenue Antoine-Berthelet a été vendue et il a déménagé à Laval, sur la rue Saint-Patrick, derrière un club de golf [Islemere]. Il a déménagé pour pouvoir tourner la page et passer à autre chose. Il ne voulait plus rester là, avec des fantômes, ni vivre dans le passé. La maison sur Antoine-Berthelet lui rappelait trop de souvenirs difficiles. Nick Jr. a grandi là. Son beau-frère Paolo Renda habitait la maison voisine. Vito avait une belle maison avec de beaux planchers en bois franc, le gros réfrigérateur de style italien à deux portes plaquées en bois foncé, plein de bouteilles de grappa. Il aimait la grappa. Il aimait l'alcool, le vin. Étrangement, son vin favori n'était pas un vin italien mais un rouge californien, l'Insignia.

« Ensuite, il a eu des meetings avec certains motards, encore là pour s'assurer que les Hells n'avaient rien à voir dans les attentats contre sa famille et qu'ils ne se mêleraient pas de ça non plus. Il voulait aussi s'assurer que leur vieille alliance tenait toujours.

«C'est là que Steve Sauce a bien joué ses cartes. Il s'est associé à Gregory Woolley pour avoir les motards de son bord. Vito était d'accord, il le connaissait et l'aimait bien. Woolley avait été détenu au Centre régional de réception à Sainte-Anne-des-Plaines en même temps que lui en 2005. Je pense qu'ils ont passé quatre ou cinq mois ensemble. Ils ont eu le temps de se connaître et Woolley aimait bien Vito. Sauce avait besoin d'un pro comme Woolley pour l'aider parce que les Hells étaient encore en prison à ce moment-là, en raison de l'opération SharQc. Woolley était rendu qu'il travaillait plus avec les Italiens qu'avec les motards. Comme les Italiens lui donnaient beaucoup d'argent, Woolley avait intérêt à rester avec eux. Steve Sauce se prosternait devant lui. C'est drôle: quand tous les Hells se sont retrouvés emprisonnés après l'opération SharQc, Steve a été le premier à dénigrer les motards. Il disait: "Nous sommes meilleurs qu'eux." Mais maintenant que les motards sont sortis? Il leur lèche le cul.

«L'autre chose brillante que Steve Sauce a faite [...], c'est de mettre son frère Mario comme chauffeur attitré de Vito pendant les six ou huit premiers mois suivant son retour à Montréal. [...] Mario était toujours avec Vito, il savait à qui Vito parlait, qui Vito allait rencontrer et il pouvait écouter ce que Vito disait au téléphone. Ensuite, il disait tout à Steve qui savait tout, même s'il n'était pas avec Vito. Parfois, Steve était au courant que Vito allait à un meeting et il se pointait là s'il pensait que ce serait bon pour lui. Ça lui permettait de contrôler l'agenda de Vito, de ramasser les contacts de Vito et d'essayer de gagner la confiance des proches de Vito en les mettant de son bord. Il planifiait tout.

«Et là, Steve et sa gang ont dit à Vito qu'ils allaient "faire le ménage" pour lui.

«D'abord, ça a été Joe Di Maulo, le 4 novembre 2012. C'est "Tony Coloc" [Tonino Callocchia] qui l'a tué. "Coloc" avait lui-même demandé à Vito de lui donner la permission de s'en charger. "Coloc" a pris du galon après ça.

«Ensuite, ils ont essayé de faire sauter Ducarme Joseph en installant une bombe dans son véhicule, mais la bombe n'a pas explosé. L'idiot qui l'a installée s'est trompé avec le déto-nateur. Au lieu d'exploser, ça a juste chauffé et fait de la fumée. Alors Ducarme et les gars qui étaient avec lui sont sortis du véhicule en courant. Ça aurait fait trois ou quatre morts d'un coup. Ducarme a été chanceux cette fois-là. Il l'a moins été deux ans plus tard.

«Ensuite, "Ponytail" De Vito a été éliminé au pénitencier de Donnacona. Ce que je sais à propos de ça? Bien... C'est délicat... Il a déjà été associé avec moi à une certaine époque, vous savez... Il en était rendu à un point dans sa vie où il se foutait éperdument de tout le monde. Il n'avait plus rien à perdre. Il s'était mis dans la tête de faire tomber la famille [Rizzuto]. Il leur en voulait de la mort de ses deux enfants, tués par leur mère alors qu'il était en cavale [durant l'opération] Colisée. Il leur en voulait d'avoir voulu le taxer, d'avoir fait foirer sa *business* d'importation de coke à l'aéroport Trudeau où il avait un contact qui travaillait là. Il en voulait au clan Rizzuto de l'avoir convoqué à des meetings où il a été enregistré à son insu par la GRC. Il les jugeait responsables de la cavale à laquelle il a été contraint.

«Son cœur est devenu noir. Il a perdu la raison. Il s'est allié à Raynald et à Vic Mirarchi. Il avait des couilles. Il faisait les "jobs" [meurtres] lui-même. Il a été l'acteur principal d'un tas de meurtres jusqu'à sa capture.

« Le meurtre de "Ponytail", il faut admettre que c'était un coup de maître brillamment orchestré. Est-ce que ça avait été autorisé par Vito? Bien sûr que oui. "Ponytail" s'est fait donner un comprimé de somnifère sans savoir que c'était du cyanure... C'est sûrement le contrat de meurtre qui a été exécuté de la façon la plus propre dans l'histoire du crime organisé au Canada. L'un des mieux réussis au Québec en tout cas.

« Moreno Gallo? [...] Steve n'a jamais digéré que Moreno leur dise, à lui et à son père, de sacrer leur camp de Montréal à l'automne 2011. En 2010, Steve Sauce était un partenaire d'affaires de Moreno et de ses fils. Il n'était pas encore vraiment influent. Il dépensait l'argent de son père Rocco, qui purgeait sa peine de l'opération Colisée. Mais peu après la libération conditionnelle de son père en 2011, Moreno a convoqué Sauce à un meeting: il lui a dit que lui et son père avaient une semaine pour déguerpir de la ville.

« En réalité, le message venait de Raynald Desjardins et de [Salvatore] Montagna. Le message devait être transmis par Moreno parce qu'il était associé avec les Sauce. [...] Ils devaient partir parce qu'ils étaient trop proches des Rizzuto. Comme Vito allait sortir de prison l'année suivante, Desjardins et Montagna cherchaient à le dépouiller de sa base et de sa garde rapprochée, avant son retour. Steve Sauce n'a jamais accepté que Moreno lui ait servi cet ultimatum qu'il croyait alors venir de Montagna, à qui Moreno s'était rallié. À ce moment-là, presque personne ne savait que Raynald était de mèche avec Montagna. Parce qu'il était en libération conditionnelle à vie pour un complot de meurtre, Moreno n'était pas en position de prendre la défense des Sollecito et d'aller à l'encontre de la volonté de Montagna. Moreno était un gars assez perspicace et il se doutait fort probablement que Raynald était derrière tout ça.

« Vito aurait pu finir par s'entendre avec Moreno et se réconcilier si on lui avait laissé la chance de lui parler. Vito aimait mieux essayer de faire la paix avec quelqu'un plutôt que de le faire éliminer. Et il était ami avec Moreno, un homme intelligent. Moreno cherchait toujours à s'entendre et il avait le don de te convaincre avec ses arguments. C'était un gars doué pour la parole. Vito aurait pu aller le rencontrer au Mexique ou à Cuba, peu importe où il se trouvait. Mais Sauce ne voulait pas : il n'a jamais pardonné à Moreno de lui avoir livré cet avertissement [même s'il] n'était que le messager. En fin de compte, les Sollecito ne sont jamais partis d'ici. Mais Sauce l'a pris personnel. Alors il s'est vengé.

« Sauce l'a fait tuer en passant par un de ses contacts dans le milieu de la drogue qui avait lui-même des *connections* au Mexique en mesure de trouver des tueurs pour s'occuper du contrat. Il a aussi demandé à Tony Vanelli de [les renseigner sur les lieux où se tenait] Moreno [...], car les deux étaient amis et faisaient des affaires ensemble au Mexique. Vanelli et Moreno allaient aux mêmes restaurants et fréquentaient les mêmes endroits à Acapulco. Ils avaient des maisons là-bas aussi. Donc, Vanelli savait où Moreno pouvait se trouver. Alors il leur a dit. Vanelli a été très chanceux. Il était supposé se faire passer lui aussi. Mais il a vendu Moreno et en échange de ces renseignements, il a eu la vie sauve à ce moment-là.

« C'est à peu près à cette période que Roger Valiquette a pris le Livre à Lorenzo Giordano. Mais c'était un coup stratégique de Steve Sauce. En gros, Steve a fait équipe avec Valiquette et l'a convaincu de prendre le Livre, aidé de "Coloc". Il a fermé sa gueule, il a mis Rog de son bord pendant longtemps, il a fait ce que l'autre lui disait. Et en plus, il a pu lui emprunter de l'argent. Steve s'est donc collé sur lui. Mais c'était juste une ruse de Steve. Ça faisait partie de son plan. Il a joué le jeu à merveille : fais-lui sentir que tu l'aides à atteindre son objectif, alors que dans le fond, c'est toi qui veux atteindre cet objectif. Steve savait aussi que Rog n'était pas de taille. Il a attendu le bon moment. Alors, à ce moment-là, tu avais Steve mais aussi Valiquette et Tony Coloc qui "*callaient* les *shots*". Et chacun d'eux voulait se débarrasser de certains gars pour des raisons différentes. Et ils allaient de l'avant, même si Vito n'était pas toujours d'accord avec eux. Comme avec les meurtres de Gaétan Gosselin [un proche de Desjardins], le 22 janvier 2013, et de Vincenzo Scuderi [associé à Joe De Vito et Alessandro Succapane] le 31 janvier 2013.

« D'ailleurs, ce jour-là, j'avais tenté de ramener la paix entre les clans de Steve Sauce et celui de "Ponytail" De Vito et Alessandro Succapane. J'ai appelé Steve à 14 h pour lui dire de tout arrêter. Il est quand même allé de l'avant avec le meurtre de Scuderi, qui s'est fait tirer à 18 h. Il m'a dit qu'il n'a pas pu faire annuler le contrat ! Il avait quatre heures pour appeler ses gars et tout *canceller*...

« Alors, je suis allé voir Vito et je lui ai demandé : "Qu'est-ce qui se passe ? Qu'est-ce que c'est que cette merde ?" Il m'a dit que c'était Steve Sauce. Je lui ai répondu : "Oui, c'est l'ostie de Steve Sauce qui a fait ça, mais c'est ton nom, Vito, qui se retrouve dans les journaux. C'est à ton nom qu'on attribue la responsabilité de ce règlement de comptes, pas à Steve." Je me suis obstiné avec lui et je n'ai pas été tendre. J'ai demandé à Vito : "Qui est Raynald Desjardins ?" Il m'a répondu : "Il a déjà été 'mon gars', un allié sur qui je pouvais me fier. Mais bien sûr, avec ce qui s'est passé, c'est fini." "Ha ! Alors c'est lui qu'il faut que tu vises. Lui as-tu sauvé la vie ?" Vito m'a répondu : "Plusieurs fois. Plusieurs fois." "Et c'est comme ça que ce *fucking guy* te récompense, qu'il te remercie ? Alors c'est lui que tu dois cibler, lui et quelques autres. C'est tout. Tu ne peux pas te mettre à donner ta bénédiction aux meurtres de tous les petits subalternes des autres clans, c'est juste des employés, câlisse ! *What the fuck !?!* Tu peux pas faire ça !" Il me dit : "C'est pas moi, c'est Steve." "Ben oui, Steve veut les passer pour pouvoir reprendre leurs affaires de prêt usuraire avec Roger Valiquette. Mais c'est à toi, Vito, de reprendre le contrôle sur eux et de faire un maître !"

« Rog et Sauce ont su ce que j'avais dit à Vito à propos d'eux. Et ils se sont mis à me détester à cause de ça. Tu sais pourquoi Vito n'était pas capable de les contrôler ? Parce qu'ils lui disaient : "On s'occupe de faire le ménage pour toi ! On fait ça pour toi !" Steve lui disait : "Vito, y a juste nous autres sur qui tu peux compter. Moi, Roger et Coloc. On s'occupe de tout pour toi." Alors que dans le fond, ils faisaient tout ça pour leur propre bénéfice à eux ! Vito se voyait mal de ramener Steve à l'ordre. Il me disait : "Si je refuse de leur donner mon autorisation [pour des meurtres], ils vont le faire pareil." Moi, je lui répondais : "Vito, t'es en train de perdre complètement le contrôle sur eux..."

« Steve m'a pris en grippe. Tout d'abord, nous sommes très différents. Moi, j'ai appris quand j'étais jeune que le gars qui parle le plus fort dans la pièce, c'est le gars le plus faible dans la pièce. Tu ne me verras jamais flasher comme Steve en conduisant des voitures de luxe comme des Lamborghini ou des Ferrari. Tout a commencé à se retourner contre moi parce que je n'étais pas d'accord avec ce que Steve était en train de faire : éliminer des gars de moindre importance, situés au bas de la hiérarchie, simplement parce qu'il voulait ensuite s'approprier leur *business*.

«Puis, Rog a fini par demander à Sauce de lui payer ce qu'il lui devait. Il avait une dette d'un demi-million de dollars envers Valiquette. Même chose pour Coloc. En plus, Rog a commencé à se tenir avec [Alessandro] Succapane, qui était proche de Joe De Vito... C'est là que Sauce est allé voir Vito Rizzuto et lui a dit : "Valiquette n'est pas bon, pas fiable, on ne peut plus lui faire confiance..." Alors il s'est débarrassé de lui pour pouvoir mettre la main sur le Livre. Il a gardé les agents qui s'étaient occupés du Livre pour Lorenzo et que Valiquette avait repris. Valiquette est un voleur qui a fourré plein de monde. Lui et Sauce ont essayé de se débarrasser de moi. Ils n'ont pas réussi. Pouvez-vous croire que le jour où Rog s'est fait tuer, Steve Sauce a eu le culot de m'appeler et de me demander si je voulais embarquer pour financer le contrat qu'il avait mis sur sa tête?»

Extrait d'un document judiciaire contenant des renseignements fournis par une source policière identifiée par la seule lettre «N» à des enquêteurs spécialisés dans la lutte au crime organisé à Montréal et à Laval, le 27 juin 2013 :

> Très récemment, Scoppa a annoncé qu'il quittait le Canada pour aller se reposer durant un an avec sa famille. Steve Ovadia va prendre la place de Scoppa. C'est Vito [Rizzuto] lui-même qui a autorisé le remplacement de Scoppa par Ovadia.

CHAPITRE 11
LE KARMA

Je me rappelle avoir vu Scoppa disjoncter, en proie à une véritable crise d'anxiété. C'était dans une chambre d'hôtel et je l'entendais hurler: «Ils vont avoir ma peau, ils vont me tuer! Je ne me réveillerai pas, je ne serai plus là pour ma famille. Ils sont en train de me rendre fou!»

Voilà ce qu'il n'arrêtait pas de répéter tout en tapant sur une table de son poing. Scoppa ne cessait de répéter ça et me demandait ce que moi, je ferais si j'étais dans sa situation. Ce n'est pas ma vie, ça, ce n'est pas mon monde. Je lui répondais: «Aucune idée, je le sais pas.» Cela ne l'a pas empêché, pendant les cinq années où nous nous sommes rencontrés, de me parler de sa peur de mourir.

Un jour, il m'a dit: «Si tu savais comment je t'envie parce que toi, quand tu sors de chez vous, t'as pas peur d'avoir une balle. Moi, quand je sors de chez nous, je peux en avoir une, *anytime*. Je pourrais en avoir une en venant te voir. D'ailleurs, si ça se sait que je te parle, je vais en avoir une. Réalises-tu à quel point t'es chanceux de savoir que tu peux marcher dans la rue sans craindre de te faire tuer?»

Il me disait toujours qu'il voulait se retirer, qu'il n'avait plus rien à voir dans les affaires de la mafia et que ça faisait longtemps qu'il était tranquille. Qu'il envisageait de se lancer en affaires de façon légitime. Mais que finalement, on venait toujours le ramener dans le milieu et que c'était en train de le rendre fou. Un peu comme cette fameuse réplique d'Al Pacino dans *Le Parrain 3*.

Le matin du 23 décembre 2013, Radio-Canada annonce que Vito Rizzuto est mort «de problèmes pulmonaires» durant la nuit à l'hôpital du Sacré-Cœur de Montréal, après y avoir été admis la veille. Son décès est «hors de tout doute naturel» et ne fera donc pas l'objet d'une investigation du Bureau du coroner, déclare sa porte-parole à l'époque, Geneviève Guilbault, qui deviendra ministre de la Sécurité publique du Québec cinq ans plus tard. *La Presse* mentionne que l'homme de 67 ans est mort subitement de complications liées à une pneumonie, et ce, «sans avoir totalement assouvi sa vengeance».

Trois jours plus tard, *Le Journal de Montréal* rapporte que le parrain souffrait aussi d'un cancer du poumon, qu'il avait amorcé une chimiothérapie, mais qu'il avait «choisi de retarder son traitement [après les Fêtes] pour passer Noël avec sa famille». L'article donne d'autres précisions:

Sa femme l'aurait trouvé allongé sur le sol de leur maison le samedi précédant sa mort. Il a immédiatement été transporté à l'hôpital en ambulance, mais son état s'est subitement détérioré dans la nuit de dimanche.

Ses problèmes de santé ne dataient pas d'hier. Déjà en 2006, lorsque Vito Rizzuto a été extradé à New York afin de subir son procès pour son implication dans les meurtres de trois membres de la famille Bonanno, il avait évoqué «une tache sur un poumon», rappelle Pierre de Champlain, auteur et ancien analyste de renseignements à la GRC. «On avait oublié ce détail», dit-il. [...]

Si le nom de Rocco Sollecito – l'un des plus fidèles disciples de Vito Rizzuto – a été évoqué à plusieurs reprises, Pierre de Champlain envisage une relève plus jeune.

«Peut-être le fils d'un de ses anciens lieutenants, avance-t-il sans trop se mouiller. Et dans les prochaines semaines, la mafia va sûrement s'entendre sur quelqu'un qui assurera le leadership de façon intérimaire», précise-t-il.

Il ne faudra pas s'attendre à ce que la transition se fasse en douceur, souligne également M. de Champlain : «il est fort possible qu'il y ait des étincelles, car les enjeux sont grands.»

«Je ne crois pas que Vito soit mort en paix», nous dit Andrew Scoppa, avant d'avancer une théorie concernant le sort qu'a connu le parrain.

«Les derniers mois de Vito ont été un vrai désastre. Vers le mois de juin 2013, il avait recommencé à se sentir à l'aise et en contrôle de la situation. Les choses rentraient dans l'ordre. Il pouvait sortir en public sans craindre pour sa sécurité. Mais il restait prudent. Et sa santé était bonne. Jusqu'en novembre 2013. C'est très ironique d'ailleurs. Quand Vito tuait quelqu'un ou qu'il autorisait que quelqu'un se fasse tuer, il lui arrivait souvent malheur. En fait, je devrais plutôt dire qu'à chaque fois que Vito a fait quelque chose qu'il n'aurait pas dû faire, il en payait le prix d'une manière ou d'une autre. En voici seulement trois exemples.

« Le 19 janvier 2004, Paolo Gervasi se fait tuer. Le jour suivant, Vito se fait arrêter pour se faire extrader aux États-Unis pour les trois meurtres auxquels il a pris part à New York en 1981.

« Le 10 novembre 2013, Moreno Gallo est assassiné au Mexique. Moreno, ça n'aurait pas dû arriver. Vito aurait pu lui parler... Et juste après, Vito attrape une grippe d'un des nombreux lèche-culs qui étaient venus le voir pour lui demander une faveur. Et il tombe gravement malade.

« Le 18 décembre 2013, Roger Valiquette se fait tuer à son tour. Vito avait rendu une faveur à Steve Sauce et Tony Coloc [Tonino Callocchia] qui mettaient de la pression sur lui pour avoir son autorisation parce qu'ils voulaient se débarrasser de Valiquette et lui prendre le Livre. Et cinq jours plus tard, Vito meurt. Est-ce que c'est ça qu'on appelle le karma ?

« J'ai tout vu ça venir... Je savais que ça allait chier. Je savais que Vito allait céder aux demandes de ceux qui lui poussaient dans le dos pour avoir sa bénédiction et pouvoir faire leurs quatre volontés. Il l'a fait pour leur faire plaisir. Un visionnaire comme Vito, avec sa grande sagesse, aurait dû savoir que ça finirait mal. Dans les derniers mois de sa vie, ils se sont foutus de lui. Ils l'ont utilisé à leurs propres fins. Ils ont profité de lui. Ils lui ont menti. Ils avaient besoin de sa permission pour tuer tous ceux dont ils convoitaient la *business*. Vito les a laissés faire. Il a fait une grave erreur.

« Et il est arrivé ce qui devait arriver. Il a attrapé la grippe d'un de ces idiots qui venaient le voir pour lui demander une faveur. Son système immunitaire était à terre à cause de ses traitements pour le cancer et ça l'a tué.

«Peu avant sa mort, Vito m'avait appelé et m'a dit: "Ces gars-là sont en train de me rendre fou! Ils n'arrêtent pas de me demander des faveurs, de venir me déranger chez moi pour toutes sortes d'affaires merdiques. J'en peux plus!" Je lui ai donné de la merde, à lui et à sa femme. Je leur ai dit: "Il est malade, il fait de la chimio, son système immunitaire est à zéro, il est fiévreux et vous permettez à ces imbéciles de venir ici pour lui demander telle et telle faveur et mettre sa vie en danger?" Comme un idiot, son fils Leo laissait tout ça faire sans dire un mot. Il aurait pu décider que plus personne n'avait le droit de visiter Vito parce qu'il était malade. Si ça avait été vraiment essentiel, il aurait pu obliger les visiteurs à mettre des gants, un masque... Ou il aurait pu s'arranger pour garder un médecin à la maison avec lui. Mais non.

«Vito a fini par réaliser tout ça. Enfin presque. Vito m'a dit que j'avais raison sur toute la ligne et sur tout le monde. Sauf sur Steve Sauce.

«En plus, il est mort avant d'avoir pu venger son fils Nicky...»

Vito Rizzuto voulait avoir Ducarme Joseph «vivant» pour le torturer et «le faire souffrir», selon des documents judiciaires liés aux enquêtes policières Magot et Mastiff menées à l'encontre du crime organisé montréalais entre 2013 et 2015.

Ces renseignements, tirés de déclarations de sources du milieu criminel à l'Escouade régionale mixte (ERM) de lutte contre le crime organisé de Montréal, tendent à appuyer la thèse envisagée par la police selon laquelle Ducarme Joseph a trempé dans le meurtre de Nick Rizzuto Jr. en 2009. Et que le père de celui-ci le savait très bien.

Dans l'espoir d'assouvir sa vengeance, le clan Rizzuto et ses partenaires du crime organisé auraient mis pas moins de «dix équipes» d'hommes de main aux trousses du caïd qu'on surnommait «Kenny», selon des affidavits signés par des enquêteurs de l'ERM. Toutefois, il est resté introuvable et Vito Rizzuto a rendu l'âme avant lui.

Ducarme Joseph, qui a déjà fait la loi au centre-ville de Montréal après avoir fondé le gang de rue 67, rend son dernier souffle sept mois après le parrain.

Le soir du 1er août 2014, le caïd de 46 ans se fait mitrailler en pleine rue Michel-Ange, dans le quartier Saint-Michel, non loin de la résidence de sa mère.

Les policiers sont appelés vers 22h15 pour un homme gisant au sol, indique le soir même un porte-parole du SPVM. La victime dans la quarantaine a subi des «blessures importantes au haut du corps, infligées par arme à feu». Les ambulanciers dépêchés sur les lieux ne peuvent que constater le décès de l'homme.

Plusieurs douilles et une arme semi-automatique de type TEC-9 sont retrouvées sur place. Le tueur, vraisemblablement un professionnel expérimenté, n'a jamais été identifié.

Ducarme Joseph est méconnaissable après l'agression, selon ce qu'a appris TVA Nouvelles. Un des fils du caïd se présente sur la scène du crime au cours de la nuit, en supposant que la victime pouvait être son père, mais il ne peut pas le reconnaître formellement.

«On savait que ça allait arriver, mais on ne savait pas quand. Ce qui me surprend c'est qu'il n'était pas accompagné de son garde du corps, ce qui était dans ses habitudes pendant les dernières années», explique Richard Dupuis, l'expert en affaires policières et commandant à la retraite du SPVM, sur les ondes de LCN.

Selon cet ex-spécialiste du crime organisé, la police avait averti Ducarme Joseph à plusieurs reprises que sa tête était mise à prix.

«Comme c'était son habitude, il riait de ça, il disait à qui voulait l'entendre que même la mort ne pouvait pas le rattraper, mais il faut croire que la nuit dernière, son destin l'a rattrapé», ajoute l'ancien officier de police au sujet de ce caïd qui pratiquait le vaudou et portait une amulette pour sa protection.

Deux mois et demi après le meurtre de Nick Rizzuto Jr., le 18 mars 2010, l'ex-leader du gang des 67 avait été la cible d'une fusillade au Flawnego, sa boutique de vêtements dans le Vieux-Montréal, qui avait fait deux morts et deux blessés. Ducarme Joseph avait échappé à l'attentat et avait lui-même alerté les policiers.

Trois mois avant le meurtre de «Kenny» Joseph, les deux tireurs impliqués dans la fusillade au Flawnego et le chauffeur de la voiture dans laquelle ils avaient pris la fuite ont été reconnus coupables de double meurtre prémédité et de double tentative de meurtre et condamnés à la prison à vie, sans possibilité de libération avant au moins 25 ans.

Selon les documents de l'ERM, Ducarme Joseph n'était plus respecté dans le monde interlope parce qu'il ne payait pas ses dettes et qu'il «volait les jeunes» impliqués dans le milieu criminel.

Les informateurs de l'ERM sont formels : l'assassinat de Joseph est « un contrat » du crime organisé italien. Andrew Scoppa nous le confirme en nous confiant quelques détails inédits qu'il connaît sur ce règlement de comptes.

Selon lui, Ducarme Joseph a été piégé par une de ses connaissances qui aurait aussi côtoyé en prison le père de Stefano Sollecito, Rocco, alors que ce dernier est derrière les barreaux à la suite de l'opération Colisée. Cette personne aurait offert au clan Rizzuto de lui « vendre » le caïd sur un plateau d'argent, moyennant une récompense de plus de 200 000 dollars. C'est ainsi que « Kenny » se serait rendu sans garde du corps à un rendez-vous truqué par une connaissance en qui il avait manifestement confiance, sans se douter qu'un tireur l'attendait en chemin.

Quatre ans et demi plus tard, l'homme d'affaires dont Ducarme Joseph a été le protecteur tombe à son tour sous les balles. Voici comment *Le Journal de Montréal* relate l'assassinat d'Antonio Magi, le 24 janvier 2019, dans un article intitulé « Tony Magi, l'acte final du plan des Rizzuto ? » :

L'assassinat en plein jour hier de l'entrepreneur en construction Tony Magi, connu pour ses liens étroits avec la mafia italienne, pourrait être la dernière vengeance orchestrée par le clan Rizzuto.

Les policiers soupçonnaient Magi d'être derrière le meurtre en 2009 de Nick Rizzuto Jr., fils du défunt parrain Vito. Le contrat aurait été effectué par le caïd Ducarme Joseph, abattu, en 2014.

Pour des observateurs, le meurtre de Magi pourrait être considéré comme l'acte final du plan de vengeance du clan Rizzuto pour les tentatives de déstabilisation vécues alors que le parrain était derrière les barreaux aux États-Unis.

« La mafia a la mémoire longue et la vengeance est un plat qui se mange froid, pour eux », dit la criminologue Maria Mourani, qui privilégie l'hypothèse d'un règlement de compte des Rizzuto. Elle n'écarte pas que Magi aurait pu être ciblé pour ses dettes.

Magi se faisait plus discret ces dernières années dans l'immobilier montréalais, mais il continuait de s'impliquer dans plusieurs projets. Le promoteur a d'ailleurs été retrouvé dans le stationnement d'un immeuble [que sa firme avait] presque entièrement construit, à l'angle de la rue Saint-Jacques et de l'avenue Beaconsfield.

Les policiers ont été appelés vers 11 h 15, après la découverte d'un corps dans l'entrée d'un garage [de cet] immeuble en construction situé dans le quartier Notre-Dame-de-Grâce.

Les services d'urgence ont cru que Magi avait été victime d'un accident de travail. Avec les impacts de balles, ils ont compris qu'il ne s'agissait pas d'un accident. L'homme de 59 ans aurait été atteint à au moins trois reprises à la poitrine et une fois à la tête. Son décès a été constaté à l'hôpital.

« [C'est] une job de pro », a confié une source policière. Aucun témoin n'aurait assisté à l'exécution.

Le ou les auteurs du meurtre ont pris la fuite et étaient toujours au large hier soir.

Magi a été impliqué dans plusieurs événements violents. Il portait parfois une veste pare-balles, entouré de gardes du corps et roulait dans un véhicule blindé.

Il a été impossible de savoir si Magi était encore aujourd'hui protégé par des hommes de main.

L'entrepreneur avait un pistolet dans sa table de nuit. Il a plaidé coupable en 2012 à une infraction réduite de possession d'armes et a reçu une absolution inconditionnelle. En 2008, il a miraculeusement survécu à une tentative de meurtre quand il se trouvait à bord de sa voiture. Trois ans plus tôt, il avait été enlevé par un groupe d'individus et était parvenu à se sauver.

Sa femme a été ciblée par un tireur embusqué en 2011, elle aussi au volant de sa voiture. Elle s'en était sortie indemne.

En 2013, un tireur armé d'un pistolet-mitrailleur avait tenté de s'en prendre à Magi à sa résidence, mais avait été arrêté par deux gardes du corps.

Tony Magi était le promoteur derrière le fameux projet du 1000, de la Commune, qui fut l'un des principaux repaires de la pègre en ville, juste devant le fleuve Saint-Laurent.

Il a longtemps travaillé avec Nick Rizzuto Jr., le fils de l'ancien parrain de la mafia Vito Rizzuto, jusqu'à ce qu'il tombe sous les balles d'un assassin à deux pas des bureaux de Magi, chemin Upper-Lachine dans Notre-Dame-de-Grâce.

Hier, Magi est tombé à son tour, à huit coins de rue de là.

Le promoteur avait beaucoup fait parler de lui ces dernières années. La commission Charbonneau, notamment, s'est penchée sur la façon dont les Rizzuto ont trouvé du financement pour son projet du 1000, de la Commune, juste au bord du fleuve Saint-Laurent.

Magi avait racheté ces anciens entrepôts frigorifiques à la Société immobilière du Canada en 1999 pour les transformer en condos de luxe ultrasécurisés.

En échange de ses bons services, la famille Rizzuto a même reçu cinq condos gratuitement en 2009 dans le nouveau développement, sans même que le parrain ait investi un seul dollar de sa poche, selon ce que la commission a permis de révéler.

« J'étais en voyage au Mexique, le 23 décembre 2013, quand Vito est mort, nous relate Scoppa. Le 20 décembre, la dernière fois que je lui ai parlé, j'avais dit à Vito qu'on irait passer une semaine ensemble à jouer au golf. Malheureusement on n'a pas pu. Je suis revenu ici dès que j'ai su qu'il était décédé. Et je lui ai donné de la merde pendant qu'il était là couché devant moi, immobile dans son cercueil. Je lui ai fait des reproches. Je lui ai dit : "Tu me laisses seul avec cette maudite bande d'idiots !" »

Un mois et demi après le décès de Vito Rizzuto, un informateur de police, identifié uniquement par le chiffre « 1 » dans des documents judiciaires que nous avons obtenus, affirme ce qui suit à des enquêteurs spécialisés dans la lutte au crime organisé dans la région de Montréal :

- Leonardo Rizzuto est le nouveau chef de la faction montréalaise du crime organisé italien.

- Rocco Sollecito est son *consigliere* (conseiller).

- Loris Cavaliere, l'avocat [du clan Rizzuto], est le messager pour cette faction.

- Stefano Sollecito est le bras droit et « l'intelligence »
  au niveau de la rue pour la faction [italienne] du
  crime organisé.

- Andrew Scoppa est toujours très important pour le crime
  organisé italien.

Le 29 octobre 2014, le groupe Éclipse, la brigade du SPVM
qui patrouille dans les lieux fréquentés par le crime organisé au centre-ville, effectue une visite au Restaurant La
Grille situé au 65, rue Jarry Est, au nord de la Petite-Italie.
Les policiers donnent suite à une information selon laquelle
plusieurs individus liés à la mafia montréalaise et à d'autres
factions du crime organisé y seraient présents. Sur place, les
policiers apprennent qu'il y a une réception donnée pour le
47e anniversaire de naissance d'un des leaders de la mafia,
Stefano Sollecito.

Parmi les personnes présentes, dont l'identité a été véri-
fiée et notée par les policiers, on retrouve donc le fêté,
Stefano Sollecito, le fils de Vito Rizzuto, Leonardo, Nicola
(Nick) Spagnolo, dont le père Vincenzo était l'un des meilleurs amis de Vito Rizzuto, ainsi que Liborio Cuntrera, dont le
père Agostino était lui aussi un fidèle allié des Rizzuto avant
d'être assassiné le 29 juin 2010 à Montréal. Au nombre des
invités, il y a aussi Loris Cavaliere, avocat de longue date du
clan Rizzuto, et Vito Salvaggio, qui ne tardera pas à être chargé
de collecter le *pizzo*, le tribut versé par les commerçants à la
mafia en échange de sa protection. On retrouve également
le sexagénaire Salvatore Brunetti, à la fois proche du crime
organisé italien et des motards. D'ailleurs, les Hells Angels
lui donneront sa veste de membre en règle et l'accueilleront
dans leurs rangs en 2018.

Le groupe Éclipse identifie également au moins cinq individus liés à l'organisation d'Andrew Scoppa. Parmi ceux-ci, il y a Joseph Chamai, que des récents rapports de renseignement policier décrivent comme le «boss» du crime organisé de souche libanaise dans les secteurs de Laval et de l'arrondissement Saint-Laurent, ainsi que le bras droit de Scoppa, Steve «Le Juif» Ovadia. Andrew Scoppa brille par son absence.

Le mois suivant, cette intervention policière a des échos dans *Le Journal de Montréal*, où Stefano Sollecito est décrit comme «l'étoile montante de la mafia montréalaise». En mars 2015, Sollecito est identifié comme le «chef des opérations de la mafia», selon notre Bureau d'enquête.

La même année, les policiers entendent Stefano Sollecito dire que lui et quelques autres leaders du crime organisé québécois forment «une famille». Et Andrew Scoppa n'en fait pas partie.

CHAPITRE 12

LA FAMILLE

Andrew avait une relation amour-haine avec son frère Salvatore. Il m'en parlait ouvertement lors de nos rencontres à Montréal, le traitant de tous les noms : *Dumbass*, *Dumbshit*, *Motherfucker*, *Crazy*... Il parlait toujours de lui comme d'un fou, un dérangé, un impulsif et un incontrôlable, qui faisait de la peine à tout le monde et était prêt à tuer n'importe qui pour être dans la bonne gang.

A ndrew me répétait que c'est lui qui avait élevé son jeune frère, qu'il aurait voulu autre chose pour lui, mais que Salvatore était devenu le fou de la famille. «Je l'ai empêché à des dizaines de reprises de se faire tuer. Et je ne lui parle plus depuis longtemps», me disait-il.

Les chicanes entre les deux frères Scoppa, on en parlait il y a 10 ans déjà et ce n'était sans doute pas tout à fait faux. À preuve, au printemps 2015, selon des documents judiciaires que nous avons obtenus, des sources policières avisent des enquêteurs qu'Andrea Scoppa «est en guerre avec son frère

Salvatore», que «Salvatore Scoppa veut prendre le contrôle de la vente de stupéfiants à Laval» et qu'il «veut prendre le territoire de son frère Andrew».

Mais je ne pense pas non plus que ces histoires de chicanes correspondaient parfaitement à la réalité. Je pense qu'elles constituaient une couverture pour les deux frères, pendant qu'ils conspiraient ensemble pour commettre des meurtres. C'est ce que la police pense aussi.

Andrew devenait très évasif quand il était question de meurtres dans lesquels il aurait été impliqué... Quand je le poussais un peu trop, il mettait toujours tout sur le dos de Salvatore. Parfois, il coupait court en me donnant des réponses simplistes. Si je lui demandais pourquoi un tel avait été tué, il me répondait quelque chose du genre : «*Maybe he did something wrong...*» «Comme quoi?» «Les gens font plein de choses pas correctes...»

«Au printemps 2015, Steve Sauce voulait que mon frère me tue, nous affirme Andrew.

«Il avait passé toute l'année précédente avec Salvatore. Il savait ce que mon frère était capable de faire. Salvatore avait fait des contrats pour lui. Ils étaient devenus des amis. Et il savait que mon frère était jaloux de moi. Steve et Sal étaient jaloux de moi, tous les deux. Steve poussait mon frère à me prendre toute ma "*shit*" [*business*]», nous dit Andrew en se touchant la narine de l'index pour évoquer la cocaïne.

«Mais Steve devait penser : "J'en reviens pas d'avoir trouvé quelqu'un qui est encore plus jaloux d'Andrew que moi! Chanceux comme un quêteux!" Alors il s'est dit : "Je vais le laisser passer son frère, puis ensuite je m'en débarrasserai." Mais un des gars qui travaillaient pour mon frère l'a apostrophé : "Es-tu tombé sur la tête? Tu vas tuer ton propre frère? Tu vois pas qu'ils vont en profiter pas mal plus longtemps que toi? Parce que ce sera pas long, tu vas être le prochain qui sera éliminé..." Et puis ensuite, ce gars est venu me voir pour tout me raconter. "J'ai fait changer ton frère d'idée. Il s'en venait pour te tuer! C'est complètement débile", m'a-t-il dit. Je me suis demandé : "Est-ce que mon frère est devenu fou ou est-il juste vraiment stupide?" Alors pendant plusieurs mois, j'ai cessé de lui parler.»

Stefano Sollecito est dans le collimateur des policiers durant cette période. Entre janvier 2013 et novembre 2015, l'Escouade régionale mixte (ERM) de lutte contre le crime organisé de Montréal mène l'enquête Magot, en matière de trafic de stupéfiants et de gangstérisme. Leonardo Rizzuto, le fils du défunt parrain, Loris Cavaliere, l'avocat du clan Rizzuto, ainsi que Gregory Woolley, le seul Noir à avoir fait partie de l'organisation des Hells au Canada et alors considéré comme «le parrain des gangs de rue» à Montréal, comptaient aussi parmi les principaux suspects ciblés.

Dans le cadre de l'enquête Magot, des documents judiciaires contenant des renseignements d'informateurs de police et des extraits d'écoute électronique ont été déposés en preuve devant le tribunal. Ces rapports ont permis de brosser un portrait du crime organisé montréalais durant ces trois années, de ses décideurs, des alliances qui y ont été tissées et des conflits qui ont éclaté.

Gregory Woolley est la figure dominante présentement sur l'île de Montréal et [...] il est responsable de la logistique et [de] l'administration d'un vaste réseau de vente de stupéfiants de toutes sortes.

Gregory Woolley est présentement le responsable à Montréal pour le groupe de motards Hells Angels.

Woolley a été incarcéré avec Vito Rizzuto en 2005. Ils étaient dans la même aile de détention au Centre régional de réception à Sainte-Anne-des-Plaines, du 6 juillet [au] 21 septembre 2005, et ont été vus plusieurs fois en train de discuter ensemble dans la cour extérieure. Woolley était incarcéré dans le projet Axe. Vito a ensuite été extradé aux USA pour meurtres.

Selon plusieurs sources, dès sa libération, Gregory Woolley, supporté par les membres des Syndicate, met en branle l'Alliance. Il s'agit d'une expression employée pour parler de l'union des membres de gangs de rue d'allégeance rouge et bleue. L'Alliance rallie également les différentes factions du crime organisé, soit les Hells Angels, le crime organisé italien et les gangs de rue, dans le but commun de maximiser les profits de chacun en lien avec le trafic de stupéfiants.

Des sources révèlent que Gregory Woolley est partenaire d'affaires avec Vito Rizzuto au niveau du trafic de stupéfiants.

Woolley a été vu à plusieurs reprises en compagnie d'individus reliés au crime organisé italien dont [...] Tonino Callocchia, Stefano Sollecito, Marco Pizzi et Vito Rizzuto. L'avocat Loris Cavaliere était présent lors des rencontres entre Gregory Woolley et Vito Rizzuto.

Des sources révèlent l'importance de Loris Cavaliere, avocat du clan Rizzuto, dans l'organisation. Leonardo Rizzuto et Loris Cavaliere sont des avocats et utilisent leur statut afin de passer différents messages à différents membres du crime organisé, que ce soit la mafia italienne, les Hells Angels ou les membres des gangs de rue. Depuis une dizaine d'années, des sources rapportent des informations concernant l'implication de Loris Cavaliere [...] comme médiateur auprès des différents groupes criminalisés. Loris Cavaliere est observé à plusieurs reprises en compagnie d'individus criminalisés, dont Gregory Woolley, [...] Vito Rizzuto, [le Hells Angels, HA] Gilles Lambert, Mario Sollecito, Stefano Sollecito et Raynald Desjardins. Les rencontres ont lieu tant au bureau de Loris Cavaliere, qui est équipé d'un système de caméras et de portes magnétiques, que dans des endroits licenciés, lors d'événements spéciaux organisés à Montréal ou en prison.

Le 27 juin 2013, M. Leonardo Rizzuto déclare aux policiers du groupe Éclipse que lui ou Loris Cavaliere pourrait remplacer son père et que Montréal sera tranquille jusqu'au décès de son père. Dans une conversation interceptée, M. Sollecito est d'avis que Leonardo n'a pas ce qu'il faut pour remplacer son père.

Le 18 décembre 2013, Roger Valiquette est assassiné dans le stationnement du restaurant St-Hubert du boulevard des Laurentides à Laval.

Le 23 décembre 2013, Vito Rizzuto est décédé de cause naturelle.

Le 23 mai 2014, une discussion est interceptée entre Loris Cavaliere et sa femme à propos d'un article de journal qui parle de Leonardo Rizzuto et des motards. Il est mentionné que les HA étaient sur [la rue] Ontario et que les Italiens étaient dans les cafés mais maintenant ils sont tous sous le même toit. Loris mentionne que c'est grâce à lui et que tout a commencé lorsqu'il est allé aux funérailles (du Hells Gaétan Comeau, le 2 septembre 2012) avec Gregory Woolley [ils sont arrivés ensemble dans une Ferrari]. Loris Cavaliere mentionne aussi qu'ils vont maintenant prendre le café au bar de Steve (Stefano Sollecito).

Le 6 juin 2014, vers 15 h 24, Gregory Woolley sort [de l'] Empire Café Bistro en compagnie de Stefano Sollecito. Le duo discute ensemble pour ensuite se séparer. Stefano Sollecito retourne à l'intérieur [...] alors que Gregory Woolley se dirige vers son véhicule.

Le 15 juillet 2014, les policiers effectuent une première entrée subreptice au bureau de Loris Cavaliere situé au 6977, boulevard St-Laurent à Montréal dans le but d'effectuer l'installation de dispositifs d'écoute électronique. Plusieurs entrées ont été effectuées dans le but de maximiser l'efficacité des dispositifs d'écoute et de vidéo. Les lieux physiques ont notamment fait en sorte que les opérations ont été étalées dans le temps. La dernière entrée subreptice faite par les policiers a été effectuée le 28 octobre 2014 afin de compléter les installations.

Le 1er décembre 2014, Tonino Callocchia, ancien associé de Roger Valiquette, est assassiné.

Gilles Lambert représente les Hells Angels et est associé avec les membres de la mafia italienne en mettant en commun leurs ressources financières (dans un pot commun d'argent) pour le *bookmaking* (pari et jeux illégaux). Les représentants de la mafia italienne impliqués dans le *bookmaking* sont Stefano Sollecito, Vito Salvaggio et Marco Pizzi. De plus ceux-ci ont sur la rue en prêt usuraire entre 7 à 8 millions qui est l'ancienne liste de prêt usuraire de Roger Valiquette et Tonino Callocchia qui sont décédés.

Le 11 août 2015 à 13h58 (dans la salle de conférence de son bureau d'avocats), Loris Cavaliere discute avec Stefano Sollecito [...] :

Stefano explique à Loris qu'ils sont ensemble en affaires, avec le père de Stefano, qu'il ne doit pas se fier aux apparences et qu'il y a des gars qui travaillent en dessous d'eux. Ce sont eux qui collectent. Il s'identifie comme « *our team* », « *the team that we built* » et [dit] qu'ils se sentent protégés, que les gens n'ont pas le goût de leur faire des problèmes.

Stefano mentionne ensuite qu'il ne peut pas collecter quelqu'un qui lui doit 1000 $, quand cette personne était là pour eux, ce n'est pas sa personnalité de faire ça. Ensuite, il est question d'argent, et Stefano mentionne que ce sont eux qui gèrent le « *gambling* ».

Stefano dit que Leo est comme une guimauve. Il n'a pas de colonne pour dire aux autres quoi faire. Stefano ajoute que [trois mafiosi] n'ont pas de couilles, ils ont de la difficulté à faire leur travail, et c'est à cause de Leo que Stefano ne peut rien faire.

Le 20 août 2015 à 11 h 30, Loris Cavaliere discute avec Stefano Sollecito. Loris mentionne que Marco, le « *Kid from RDP* », est venu le voir et lui a dit que Stefano lui avait demandé quelque chose, soit de demander à Loris de trouver quelqu'un. Stefano lui répond qu'il va aller le voir au bureau. « *Marco the Kid from RDP* » est Marco Campellone. Le 18 septembre 2015 en soirée, Campellone fut assassiné devant sa résidence.

Ces extraits de documents judiciaires et de déclarations assermentées d'enquêteurs du projet Magot mentionnent les noms de trois hommes qui ont péri par balles : Roger Valiquette, Tonino Callocchia et Marco Campellone. Tous étaient pourtant liés à la « famille » mafieuse, dont les opérations sont alors présumément dirigées par Sollecito.

Le matin du 1er février 2013, Callocchia l'avait échappé belle. Atteint par un tireur dans le stationnement d'un restaurant du boulevard Saint-Martin Ouest à Laval, celui qu'on surnommait « Tony Coloc », qui était aussi président de l'entreprise Construction TDP, avait survécu à ses blessures. Selon Andrew Scoppa, le mafieux de 51 ans, condamné à 10 ans de pénitencier en 1998 pour avoir importé de la cocaïne par l'aéroport Pearson de Toronto, serait celui qui a assassiné l'influent Joe Di Maulo moins de trois mois auparavant.

Cette tentative de meurtre survenait le lendemain du meurtre de Vincenzo Scuderi, un proche du caïd Giuseppe De Vito dont le nom se trouvait sur la liste noire du parrain Vito Rizzuto.

Le 18 décembre 2013, Roger Valiquette, le plus gros prêteur usuraire au Québec, tombait sous les balles à Laval, et Callocchia, alors un de ses associés, reprenait ses affaires.

Mais il subissait le même sort que Valiquette moins d'un an plus tard, le 1er décembre 2014, alors qu'il était attablé dans un bistro du boulevard Henri-Bourassa. En début d'après-midi, «Callocchia a reçu un appel. On lui a dit que deux personnes liées à la mafia sicilienne devaient absolument le rencontrer dans ce petit café», rapportait *Le Journal de Montréal* dans son édition du 4 décembre, sur la foi d'une «source bien au fait des événements». Deux hommes cagoulés venaient à sa rencontre et l'atteignaient d'au moins une balle à la tête.

Ce jour-là, Marco Pizzi, un autre mafioso que la police considère comme un gros narcotrafiquant, a eu la chance de sa vie selon des documents judiciaires de l'enquête Magot. «Le 1er décembre 2014, Marco Pizzi et Tonino Callocchia, ancien associé de Roger Valiquette, se sont rendus au Bistro XO+ à Montréal. Deux hommes cagoulés sont entrés dans le bistro pendant que Marco Pizzi s'est absenté pour aller aux toilettes et ont tiré à bout portant sur Tonino Callocchia. Marco Pizzi a entendu les coups de feu et a constaté la mort de son ami», selon un enquêteur dans une déclaration assermentée. Le lendemain, Pizzi faisait l'objet d'une surveillance policière quand il est allé rencontrer Stefano Sollecito dans un restaurant de la rue Square-Victoria, pendant que le frère de ce dernier, Mario, «faisait le guet dans le portique». Attablés dans un coin du resto, Pizzi et Sollecito sont observés en train de discuter, «assis un à côté de l'autre et en chuchotant», selon les mêmes documents de cour.

Quant à Claudio Marco Campellone, après avoir lui aussi échappé à une première tentative de meurtre en 2013, il est «littéralement mitraillé devant chez lui», dans le secteur de Rivière-des-Prairies, le 18 septembre 2015, rapporte *La Presse*. Ce jeune homme de 24 ans, «étoile montante» de la mafia, qui avait déjà purgé une peine de prison pour son rôle dans un réseau de trafic de drogue relié à Giuseppe De Vito, avait changé de camp pour se joindre à celui de Sollecito.

Valiquette, Callocchia (Tony Coloc) et Campellone ont-ils été les victimes de représailles d'un clan rival? Ce n'est pas ce que pense Andrew Scoppa.

«La première fois qu'ils l'ont essayé en 2013, Tony Coloc était supposé aller rencontrer des gars liés aux Rizzuto dans un resto quand il a été blessé par balles dans le *parking*. Mais il s'en est tiré. Alors le 1er décembre 2014, Coloc était avec Pizzi dans un autre resto. Pizzi était supposé de se faire tirer lui aussi, mais son envie d'aller aux toilettes lui a sauvé la vie. Regarde les affidavits de police de l'enquête Magot, c'est écrit. La police l'avait questionné. Certaines personnes dans la mafia l'ont d'ailleurs soupçonné d'avoir piégé Coloc ce jour-là. Mais non. Comment je le sais? Cette commande venait de Steve Sauce et elle a été exécutée par mon frère et un Noir. J'ai su que, comme par hasard, les caméras de surveillance du resto ne fonctionnaient pas», dit Andrew avec un sourire en coin, précision que des sources policières nous ont confirmée.

Et qu'en est-il de Campellone, à qui Scoppa attribue des crimes violents pour lesquels ce jeune homme n'a jamais été arrêté ni inculpé? «Roger Valiquette s'était fait tirer par Campellone. C'était un *kid* qui travaillait avec mon frère. Valiquette s'était fait attirer dans un St-Hubert soi-disant pour aller y rencontrer un gars surnommé "Dutch". Et comme de raison, le 18 septembre 2015, ça a été le tour de Campellone d'être éliminé», nous répond Scoppa en réitérant que son frère Salvatore est impliqué dans ce crime.

«Steve Sauce a autorisé le contrat parce que Campellone et deux autres gars ont essayé de passer mon frère, en juillet 2015, explique calmement Andrew. Sauce avait promis la lune à Salvatore après qu'il eut éliminé Coloc, donc il ne pouvait pas lui refuser de se venger. Ils avaient essayé mon frère dans un garage où il y avait des caméras, mais il a aperçu le tireur armé et il s'est échappé. Sauce a approuvé le contrat, même si à un certain moment, il considérait presque Campellone comme son propre fils. Il lui avait d'ailleurs offert une montre Rolex mais il l'a reprise. C'est pas longtemps après ça que les choses ont radicalement changé...

«À l'automne 2015, on a beaucoup fait pression sur moi pour que je me retire des affaires. Nick Spagnolo et Steve Sauce m'ont garanti une grosse somme d'argent provenant des membres de la Table [formée des leaders du marché des stupéfiants] en guise de compensation. Ils me la doivent encore. Et c'est à cette période que Salvatore a su que Steve manigançait pour nous éliminer, lui et moi. C'est écrit noir sur blanc dans des documents de la police...»

Les manigances auxquelles Scoppa fait référence sont détaillées dans des documents judiciaires déposés en preuve devant le tribunal au soutien du projet d'enquête Magot. En particulier, l'après-midi du 20 août 2015, les policiers ont intercepté des conversations par écoute électronique au 6977, boulevard Saint-Laurent, au centre-ville de Montréal, édifice qui abrite le bureau du cabinet de l'avocat Loris Cavaliere. Trois individus sont alors en train de discuter, de manipuler des papiers et des appareils cellulaires dans la salle de conférence du bureau : Stefano Sollecito, Leonardo Rizzuto et Gregory Woolley.

Cette «rencontre au sommet» du 20 août 2015 doit être vue comme un «meeting» des têtes dirigeantes du crime organisé, analyse le juge Daniel Bédard quelques mois plus tard:

«L'ensemble de ces conversations établit un contexte de criminalité dont il n'est pas permis de douter. Elles portent toutes, si l'on peut s'exprimer ainsi, sur les problèmes quotidiens associés à la gestion des activités criminelles reliés à la vente de cocaïne sur des territoires contrôlés. Manifestement, des communications ayant trait à la vente et la distribution de la cocaïne, aux problèmes qui découlent du contrôle et de la répartition des différents territoires, notamment Rivière-des-Prairies. Des problèmes de confiance envers certains qui semblent jouer double jeu ou d'autres qui peut-être parlent à la police. M. Stefano Sollecito est très volubile dans les communications interceptées. Il explique qui dirige, qui n'est pas digne de confiance et ce qu'il peut faire. Il souhaite qu'on respecte la structure mise en place par Vito Rizzuto et n'est pas convaincu que Leonardo a la stature requise pour remplacer son père. Quant à M. Leonardo Rizzuto, moins volubile et intempestif que Stefano Sollecito et Gregory Woolley, il participe pleinement au meeting du 20 août 2015 et participe aux conversations après cette date.

«Toutes ces communications illustrent simplement le quotidien de la criminalité organisée avec ses problèmes d'intendance, poursuit le magistrat, et la participation de MM. Sollecito et Rizzuto, entre autres, dans les conversations démontre le positionnement des deux détenus dans l'organisation: ce sont des décideurs.»

Qu'est-ce que ces têtes dirigeantes du crime organisé disent de mal au sujet des frères Scoppa? Les documents de cour relatent leur discussion de la façon suivante:

Stefano veut respecter l'agenda de Vito, le père de Leonardo. Stefano mentionne que ce sont eux qui décident, soit Gregory, Stefano et Leonardo, pour gérer la ville et Greg parle même d'utiliser la violence pour en garder le contrôle. Il est question de loyer et de taxe durant la conversation et des liens avec les motards et les Italiens. [...] Également, Greg raconte son association avec les Italiens [...], que ça rend les gens jaloux.

Ils n'ont plus confiance en Andrea et Salvatore Scoppa. [Ils] doutent qu'il y a une taupe parmi [eux]. Stefano mentionne que le problème doit être réglé rapidement. [...] Il est également question de décider s'ils vont éliminer Salvatore Scoppa. Stefano mentionne que «Sal» devrait se méfier et Greg ajoute que c'est lui qui le vole. Greg ne lui fait pas confiance, car «Sal dit tout».

Greg mentionne à Stefano que s'il veut qu'il le fasse, il va le faire, en parlant d'éliminer quelqu'un, en parlant de la taupe, car c'était la décision de Vito aussi, comme le dit Stefano.

Stefano mentionne qu'ils sont en accord pour mettre Salvatore Scoppa à l'écart de la rue et Greg dit que ça mérite une balle dans la poitrine, c'est ce [qu'ils] font pour garder la ville. Mais Leo n'est pas d'accord, ce qui fait réagir Greg.

«Mon frère a perdu la tête en apprenant ça. Il voulait tous les tuer», admet Andrew, en ajoutant qu'au cours des semaines suivantes, il y a eu des «fuites» d'informations dans le milieu criminel quant au contenu de cette réunion.

La tension monte alors de plusieurs crans au sein de la «famille» mafieuse. Le bureau d'avocats de Me Cavaliere est la cible d'un cocktail Molotov, le 29 septembre 2015, et deux cafés fréquentés par Stefano Sollecito font aussi l'objet d'incendies criminels durant cette période. La situation devient assez préoccupante pour que la police aille demander à Stefano Sollecito de « calmer le jeu » sur le terrain.

En épiant des téléphones cellulaires utilisés par ce dernier, les policiers constatent que le chef des opérations de la mafia est particulièrement sur ses gardes pendant cet automne chaud.

Par exemple, le 23 octobre 2015, à 18 h 23, Stefano Sollecito demande à sa conjointe d'ouvrir la porte de garage de leur résidence à Mascouche, car il s'en vient. Il lui demande aussi de « regarder par la fenêtre afin de vérifier si elle voit des gens dans les véhicules et si elle reconnaît les véhicules qui sont dehors ».

Le 31 octobre, à 13 h 10, dans un texto qu'il envoie à sa conjointe, Sollecito lui dit être très fâché : il est venu à la maison pour rien, car elle n'y est pas. Il reviendra le lendemain, ajoute-t-il, en précisant que « c'est dangereux pour lui d'être seul à la maison ».

Le 6 novembre 2015, Sollecito est avisé par des enquêteurs de police qu'il est visé par un complot de meurtre, alors qu'il se trouve en présence de Loris Cavaliere. La même mise en garde des policiers sera signifiée à Leonardo Rizzuto, dont la vie est également en danger.

Finalement, l'avant-midi du 19 novembre 2015, des officiers de l'Escouade régionale mixte de Montréal annoncent qu'une série d'arrestations a été effectuée tôt le matin au terme des projets d'enquête Magot et Mastiff. Plusieurs leaders allégués du crime organisé à Montréal font face à des accusations de gangstérisme et de complot pour trafic de drogue, dont Stefano Sollecito, Leonardo Rizzuto, Gregory Woolley et Loris Cavaliere, qualifié de *consigliere* du clan sicilien. En conférence de presse, les officiers en profitent pour envoyer un message à «ceux qui seraient tentés de prendre la relève»: la police les connaît déjà et elle les aura à l'œil, avertissent-ils en se gardant toutefois de nommer les frères Scoppa.

Lors de l'arrestation de Leonardo Rizzuto à sa résidence de Laval, apprendra-t-on plus tard, les policiers saisissent cinq grammes de cocaïne dans des petits sachets qui se trouvent dans la poche intérieure d'un veston de marque Hugo Boss. Ils saisissent également deux pistolets semi-automatiques, dont l'un est chargé et dont le numéro de série a été oblitéré, ainsi que des munitions. Ces deux armes prohibées sont découvertes dans l'armoire au-dessus du réfrigérateur.

Lors de la perquisition chez Stefano Sollecito, deux vestes pare-balles sont saisies dans une armoire, de même que cinq relevés de transferts d'argent totalisant 450 000 $.

À la fin de l'hiver 2016, le juge Bédard rejette les requêtes de mise en liberté provisoire déposées par Stefano Sollecito et Leonardo Rizzuto et ordonne leur détention jusqu'à nouvel ordre. Dans sa décision, le tribunal qualifie de «surprenant» le profil financier de Sollecito, tout en précisant que le chef des opérations de la mafia est gravement malade:

> Il ne travaille pas depuis 2013, selon les informations données lors de sa demande de passeport en novembre 2015. L'enquêteur ajoute que cette demande de passeport est une demande urgente selon la vérification faite.

Alors qu'il déclare être directeur chez Céramique 440 depuis 2008, dans sa demande de passeport en 2008, il déclare des revenus de 53 679 $ en 2014 et transige pour près de 2 500 000 $ de jetons au Casino entre janvier 2014 et novembre 2015, pour des pertes de près de 86 000 $, avec des remises de chèques tels que détaillés dans le document émanant du Casino de Montréal.

Il habite une résidence évaluée à près de 600 000 $ dont il n'est pas propriétaire et pour laquelle il n'existe aucun bail. Lui conduit une voiture de marque Range Rover 2015 et sa conjointe un véhicule de la même marque, mais de l'année 2016. Les deux véhicules qui valent chacun plus de 80 000 $ sont payés.

Sans aller plus en détail avec le profil financier [...], un constat s'impose : le train de vie de M. Stefano Sollecito ne cadre pas avec son statut de travailleur et ses déclarations de revenus. De la preuve à charge on peut inférer un lien entre les activités criminelles et son train de vie.

M. Stefano Sollecito souffre d'un cancer, dont une tumeur au niveau du nerf sciatique avec plusieurs métastases au niveau des poumons. Des dispositions spéciales pour son transport entre le centre de détention et le palais sont appliquées depuis le début de l'enquête, de même que pour son confort pendant les auditions. Le Tribunal est avisé, dès le début de l'enquête, que monsieur doit, sous peu, être rencontré par une équipe médicale comprenant un oncologue.

La dernière évaluation déposée confirme une espérance de vie qui tourne autour d'un peu plus de 12 mois sans traitement. Il faut signaler que les derniers traitements n'ont pas donné de résultats probants, en ce que la maladie continue de progresser, mais lentement.

Le Tribunal ne peut passer sous silence que M. Sollecito, bien au fait de son état de santé, continue, tel que le démontrent les conversations téléphoniques, ses activités criminelles.

Pendant que les deux leaders mafieux restent incarcérés, plusieurs vétérans de leur clan sont tour à tour assassinés par balles.

Le 1er mars 2016, Lorenzo Giordano, l'ancien détenteur du Livre, est abattu à Laval dans le stationnement du gymnase où il va s'entraîner. Puis, le 27 mai, c'est nul autre que le père de Stefano Sollecito qui est tué, comme le relate *Le Journal de Montréal* dans un article du 3 juin 2016 :

Pour la cinquième fois en autant d'années, les cloches d'une église montréalaise ont sonné en mémoire d'un leader de la mafia, hier midi, alors que 200 proches de Rocco Sollecito sont allés lui rendre un dernier hommage.

Les funérailles de l'homme de 67 ans, chef intérimaire des opérations de la mafia et doyen du clan Rizzuto, se sont déroulées à l'église Notre-Dame-de-Pompéi, dans le quartier Ahuntsic.

Deux des trois fils de la victime, son aîné Giuseppe et son cadet Mario, ont été parmi les premiers à sortir sur le parvis pendant que des porteurs transportaient le cercueil de Rocco Sollecito, à l'issue d'une cérémonie de 45 minutes.

Les autorités carcérales n'ont cependant pas permis à son autre fils, Stefano, de venir saluer sa mémoire.

L'homme de 48 ans, qui était le chef de la «table de direction» du crime organisé italien à Montréal avant son arrestation pour gangstérisme en novembre dernier, reste incarcéré à la prison de Rivière-des-Prairies en attendant d'être jugé.

Plusieurs patrouilleurs du SPVM ont assuré une présence discrète autour de l'église.

Non loin du rassemblement, des membres de l'Escouade régionale mixte de lutte contre le crime organisé de Montréal et des services de renseignements policiers ont profité de l'événement pour mettre à jour leur « album de photos » de la mafia.

Ils ont notamment noté la présence de Libertina Rizzuto et de Giovanna Cammalleri, respectivement la fille et la conjointe de Vito Rizzuto, arrivées à bord d'un luxueux VUS de fabrication allemande.

Fidèle allié du parrain, Rocco Sollecito avait assisté aux funérailles de Vito Rizzuto, vaincu par la maladie en décembre 2013.

Rocco Sollecito est la 27e victime de meurtre liée à la guerre de pouvoir qui déchire la mafia montréalaise depuis sept ans, selon nos informations.

L'aspirant parrain Salvatore Montagna, l'ex-numéro 2 de la mafia Joe Di Maulo et un homme fort du clan Rizzuto qui voulait prendre les commandes de la mafia, Lorenzo Giordano, ont tous connu la même fin sanglante que lui.

Le matin du 27 mai, vers 8 h 30, Rocco Sollecito a quitté la tour à condos où il habite près du Marché public 440, dans le quartier Chomedey, et a pris le volant de son luxueux VUS blanc de marque BMW.

Circulant sur le boulevard Saint-Elzéar Ouest, il s'est immobilisé à la vue du panneau d'arrêt obligatoire situé à l'intersection de la rue Anna-de-Noailles, à 500 mètres du quartier général de la police de Laval.

Il s'agissait d'une routine familière au tireur, qui a vraisemblablement surveillé sa cible assez longtemps pour connaître ses allées et venues.

À l'intersection où la victime s'est arrêtée, il y a un abribus de la Société de transport de Laval. Et à l'intérieur, le tireur attendait patiemment l'arrivée du sexagénaire au VUS blanc.

Il en est alors sorti et a tiré un premier projectile à travers la vitre du côté du passager avant. Des témoins ont entendu six à sept autres coups de feu.

La série noire se poursuit le 15 octobre de la même année, en fin d'après-midi, à Laval. Cette fois, la victime est Vincenzo Spagnolo, 65 ans, qui était l'un des meilleurs amis et confident de longue date du défunt parrain Vito Rizzuto. Son fils Nicola Spagnolo, qui aurait siégé à la « table de direction » de la mafia montréalaise en 2015, est considéré par les policiers comme un proche de Leonardo Rizzuto et de Stefano Sollecito.

Comble de l'insulte pour sa famille et son entourage, Vincenzo Spagnolo, un propriétaire de salles de réception qui n'était pas directement mêlé aux affaires mafieuses, a été abattu d'au moins un projectile d'arme à feu alors qu'il se trouvait dans sa propre résidence du quartier Vimont. Un pareil affront, également subi par la famille Rizzuto quand le patriarche Nicolo s'est fait assassiner par balle alors qu'il était dans sa cuisine en 2010, va à l'encontre d'une loi non écrite dans le monde interlope.

« Il en a eu plusieurs », laisse tomber Andrew Scoppa en évoquant cette série de règlements de comptes que son frère Salvatore aurait orchestrés aux dépens du clan Rizzuto-Sollecito.

« Quand ils ont arrêté Steve Sauce, ça lui a littéralement sauvé la vie de se retrouver en taule. Pendant que Steve était en prison, son père, Rocco Sollecito, s'est fait descendre. Comme Giordano et Spagnolo. Mon frère savait que Steve Sauce et son père travaillaient en équipe. Et il croyait que son père approuvait le contrat que Steve avait mis sur la tête de mon frère. Parce que le père a sûrement dû lui dire que, tôt ou tard, Salvatore risquerait de tous les mettre dans la merde. En fin de compte, c'est Steve Sauce qui est le véritable responsable de la mort de son père. Pas mon frère. "C'est parce que tu voulais tuer mon frère et il l'a su !", s'exclame-t-il alors, interpellant directement Stefano Sollecito comme s'il s'adressait à lui.

« Il n'y a pas moyen de faire la paix ou même de tenter un rapprochement avec un gars comme Steve Sauce. Tu dois te méfier de lui. S'il te dit que c'est correct et que tout est oublié après un conflit, c'est là que tu dois redoubler de vigilance et te préparer à une attaque. Tu ne peux pas livrer un combat propre avec quelqu'un qui se bat en trichant. Tu ne peux pas présumer qu'il va respecter les règles. Faut jouer dur avec quelqu'un comme lui. Moi, j'appelle ça de la légitime défense.

«Mais le 26 octobre 2016 et le 1er février 2017, ce sont les maudits flics qui m'ont mis dans la merde en m'arrêtant et en m'accusant pour quelque chose que je n'ai pas fait. Ils m'ont volé 15 mois de ma vie en m'envoyant en taule! Je suis tellement en tabarnac après eux, vous n'avez pas idée. Ça m'a laissé un goût amer dans la bouche. La suite, ça a été un *fucking* désastre...»

CHAPITRE 13
LE MOUCHARD

La Sûreté du Québec (SQ) savait très bien qu'Andrew Scoppa et moi, nous nous parlions. Pour les fins d'une enquête antidrogue, elle avait placé un micro dans son véhicule. Lors d'une conversation entre Andrew et son chauffeur Nicola Valiante, captée le 15 septembre 2015, on entend Valiante demander à ma source : «*You started talking to Félix ?*» Andrew lui répond : «*Yeah. Cause he's on the button. He knows what he's talking about, you know.*»

L a dernière chose dont j'avais besoin, c'était bien qu'un mafieux vante la qualité de mon travail. Au début de l'année 2017, les policiers m'ont avisé de l'existence de ces enregistrements. L'affaire était délicate pour eux.

Le matin de l'arrestation de Scoppa, j'ai été convoqué à la section du crime organisé de la SQ à Mascouche. Il y avait trois policiers. Je me doutais bien de la raison de ma convocation. Sans surprise, les capitaines Benoit Dubé et Guy Lapointe m'annoncent : « Félix, on a un problème, tu fais partie de notre filature à de nombreuses reprises sur Andrew Scoppa ». Des démarches impliquant les avocats de mon employeur sont alors entreprises. Le but ? Protéger l'identité de ma source journalistique durant les procédures judiciaires intentées contre les personnes accusées à la suite de cette enquête policière. Une entente allait ensuite être conclue avec le DPCP (Directeur des poursuites criminelles et pénales) pour caviarder toutes les portions de l'enquête touchant mes rencontres avec Scoppa et faire en sorte que ces opérations de surveillance ne soient pas communiquées à la défense.

C'était en février 2017. On était en plein scandale d'espionnage sur les journalistes à ce moment-là. C'était pendant les travaux de la Commission d'enquête sur la protection de la confidentialité des sources journalistiques, communément appelée la commission Chamberland, que le gouvernement avait mise sur pied après que le SPVM et la SQ eurent espionné une demi-douzaine de journalistes. Du point de vue opérationnel, les enquêteurs du projet Estacade avaient également peur que je partage avec Andrew Scoppa de l'information provenant de sources policières. D'ailleurs, Scoppa a tenté à plusieurs reprises de savoir ce que je savais à son sujet. Je lui ai toujours dit que je devais tracer une ligne très claire : « Ce que tu me dis, je ne le répète pas à la police, et ce que la police me dit, je ne te le répète pas. » Autrement la situation serait invivable. Une conversation que j'ai eue avec les responsables de ce projet d'enquête m'a confirmé que je respectais bien cette exigence. « On t'a essayé, on t'a testé, pis tu ne nous as jamais crossés », me lance un inspecteur de la SQ. Pour tester ma probité, m'explique-t-il, on m'avait donné de fausses informations pour savoir si j'allais les répéter à Andrew. Évidemment, je ne l'ai jamais fait. « T'as passé le test. » Ça m'a un peu agacé d'avoir eu à passer ce test-là. Je me trouvais dans une situation où j'étais soupçonné d'un grave manque d'éthique. En même temps, ce test, c'était un prix que j'étais prêt à payer pour jouer la *game* en rencontrant un gars comme Scoppa. Mais les enquêteurs m'ont aussi dit : « T'aurais pu te faire tuer... »

Le projet Estacade débute le 6 juin 2014 et est réalisé par l'ERM (Escouade régionale mixte de lutte au crime organisé) Rive-Nord. Le projet vise différentes cellules et [...] l'objectif premier est l'arrestation d'Andrea Scoppa. Le rôle d'Andrea Scoppa est l'approvisionnement, en cocaïne, d'organisations dans la grande région métropolitaine. Durant ce projet, Andrea Scoppa est observé avec plusieurs sujets du milieu interlope. Andrea Scoppa bénéficie de façon quotidienne d'un chauffeur du nom de Nicola Valiante. Les rencontres d'Andrea Scoppa s'effectuent, dans la grande majorité du temps, dans des endroits publics (ex. : restaurants, centres commerciaux et parcs). De par ses rencontres et [...] ses conversations [...] interceptées, Andrea Scoppa est une personne influente dans le milieu criminel et du crime organisé. L'enquête du projet Estacade démontre qu'Andrea Scoppa est un trafiquant de stupéfiants à grande échelle. La preuve d'écoute électronique démontre qu'il achète de la cocaïne au kilogramme, qu'il est en contact direct avec la source d'approvisionnement et qu'il transige de gros montants d'argent.

Voilà comment des documents judiciaires auxquels nous avons eu accès résument l'enquête policière qui s'est déroulée entre 2014 et 2017 qui a mené aux arrestations et à la dernière mise en accusation d'Andrew Scoppa.

Durant cette période, Scoppa est considéré comme «le chef intérimaire de la mafia montréalaise» par l'ERM.

Dès le printemps 2016, des sources policières dans le milieu criminel avisent l'ERM qu'Andrea Scoppa et son frère Salvatore ont pris du galon à la suite de l'incarcération des dirigeants du clan Rizzuto, en novembre 2015. «Ce sont eux les décideurs», déclare un de ces informateurs aux enquêteurs. Les frères Scoppa «ont reçu l'accord de la mafia de Toronto et [de] celle d'Italie» et «ils sont à ce jour les responsables de la mafia montréalaise», ajoute-t-il.

Une partie importante de la preuve dans l'enquête Estacade est amassée grâce à un micro que les policiers ont dissimulé à l'intérieur de trois véhicules de location que Scoppa et son chauffeur utilisent entre le 12 septembre et le 26 octobre 2016. Ce mouchard leur permet d'intercepter des centaines de conversations impliquant Scoppa, alors qu'il se fait conduire par Nicola Valiante en se croyant à l'abri de l'espionnage des forces de l'ordre. Plusieurs appareils téléphoniques de Scoppa sont également mis sous écoute électronique durant l'enquête.

Les extraits qui suivent sont tirés de plusieurs conversations que la police a interceptées à l'insu d'Andrew Scoppa. Ces enregistrements donnent un éclairage exceptionnel sur le quotidien tumultueux d'un chef mafieux calculateur et angoissé, et sur ce qui peut se passer dans sa tête.

14 septembre 2016

Andrew Scoppa (Scoppa), Nicola Valiante (NV) et un homme d'affaires (H)

13h44

Scoppa: Je pourrais faire envoyer des milliers de conteneurs remplis de poulets halal à Dubaï, *bro*! Imagine si ça marche, même si je touche seulement 10 cents de profit sur chaque kilo...

H: Tu vas devenir millionnaire!

Scoppa: Je suis millionnaire.

NV: Tu es millionnaire.

Scoppa: J'ai déjà un client là-bas qui serait intéressé.

H: Je pourrais probablement te trouver des poulets en Italie à un excellent prix.

Scoppa: Non, ça va te revenir trop cher. Mon client m'a dit de les faire venir du Brésil. *Anyway*, trouve-moi un prix. Penses-y. Des milliers de conteneurs...

13h51

Scoppa: Ils viennent tous me voir pour que je les aide, *bro*.

NV: Comme si tu étais le juge.

Scoppa: Ouais, le juge. Je suis rien du tout. Y a mon frère qui est bien occupé. Le problème, c'est que j'entends la même merde partout où je vais. Il faut que j'arrête d'aller rencontrer tout ce monde-là. Il y a des contrats sur ma tête, c'est bien de valeur pour moi...

NV: Il y a des contrats sur ta tête parce que Sauce ne veut pas te payer.

Scoppa: Oui. Mais ça va mal paraître si...

NV: Bien sûr, tout le monde le sait.

Scoppa: Tout le monde le sait. *Fuck the guy.* Bon dieu, je ne peux pas croire ce que ma vie est devenue.

NV: Tu sais, dans la rue...

Scoppa: Dans la rue, l'information circule à l'effet que mon frère coopère avec les flics. T'imagines? Et Steve, je ne sais pas par où ça va arriver, mais ça va arriver... Paie tes maudites dettes! Amène l'argent ici. T'es venu me voir quand il en manquait. J'ai réglé le problème. Arrête de me niaiser et paie. N'attends pas que ça dégénère. [Il bâille.] Je suis épuisé. Je ne dors plus. Mon dos me fait mourir. Je suis en train de crever à petit feu.

Tu sais, c'est dur de rester au sommet. C'est une chose de devenir le champion du monde. Mais c'en est une autre de le demeurer. Tu comprends? Un nouveau champion, tous les autres boxeurs veulent lui ravir sa ceinture. C'est la même chose quand tu réussis dans n'importe quoi. Tout le monde veut te voir te planter.

Pour dormir, il faut que je me mette une pilule sous la langue chaque fois que je vais me coucher. Trois minutes et tu ronfles. Mais je me réveille à 3 h et il faut que j'en *poppe* une autre si je veux me rendormir.

NV: Ouais. Et en plus, tu dois subir une colonoscopie?

Scoppa: Oui. J'attends la date.

15 septembre 2016
Andrew Scoppa (Scoppa), Nicola Valiante (NV) et un autre individu (AI)

9h20
Scoppa: Fuck you! J'ai rien à voir là-dedans! Pourquoi il met mon nom dans cet article-là? Tout le monde sait que je n'ai plus rien dans Parc-Ex ni sur l'avenue du Parc. Je n'ai plus de contrôle sur ces territoires-là depuis longtemps. On me les a enlevés. Hey, Nick, tu braillerais comme un veau si c'était ton nom qui était écrit dans *La Presse* ce matin. C'est complètement débile.

Comment tu peux écrire n'importe quoi sur quelque chose dont tu ne connais absolument rien? Petit rat... Pourquoi tu mets mon nom dans cette histoire-là? Heille, l'article laisse entendre que [des incendies criminels], ça vient de moi. Là, tout le monde va parler de ça sur la rue, en prison... *Fuck!* Je vais me choquer.

Tu sais rien de ce qui se passe. T'en veux des détails? Viens me voir, je vais t'en donner des ostie de détails. J'essaie de sauver ma peau. Parce que c'est le bordel. Parce qu'il y a des contrats [de meurtre] impliquant mon frère qui est en train de foutre la merde. Oui, c'est vrai, je suis encore là. Oui, j'ai été vu avec des gars de gangs de rue, avec quelques motards et avec quelques maudits Italiens... Et ce matin, en lisant ça, les gens vont se dire: «Oh! Andrew est parti en guerre contre eux en faisant brûler leurs bars.» Ce n'est pas moi! J'ai rien fait. Ça pourrait être mon frère. Je ne sais pas. Mais j'en ai assez d'entendre cette merde. Ça retombe toujours sur moi, moi, moi...

Pendant ce temps-là, j'attends encore après mon argent. Et eux, ça fait leur affaire parce qu'ils veulent pas me payer tout ce qu'ils me doivent. C'est comme s'ils essayaient de gagner du temps en espérant qu'il m'arrive malheur. Ces gars-là ont essayé de m'avoir. Ils m'ont tassé. Et ils ne veulent pas me rembourser ce qu'ils me doivent. Mais je vais maintenir la pression. S'ils ne me paient pas, je ferai ce que j'ai à faire.

Quel gâchis!

14h26

Scoppa : Mon avocat va parler [au journaliste]. Je lui ai demandé d'aller le voir. Mon avocat va lui dire qu'il est en train de mettre ma vie en danger en laissant croire que je suis en guerre.

[Il lit une nouvelle sur le site du *Journal*] Ah! Lui, il est correct. C'est Félix. Il rapporte que le restaurant visé par un incendie criminel dans Parc-Extension hier appartient au frère d'un dirigeant du SPVM. Je devrais appeler Félix pour lui dire qu'il fait du bon travail. Et je devrais appeler [le journaliste] et lui dire qu'il devrait lire *Le Journal de Montréal* parce qu'ils savent de quoi ils parlent...

Hey, les flics sont chez Steve [Ovadia] en ce moment. Ils exécutent un mandat de perquisition à sa résidence.

NV : Une perquisition? Pour quelle raison?

Scoppa : *Bro*, ce sont des flics. Il doit y avoir quelque chose qu'ils cherchent.

17h43

Scoppa : [Il lit un article sur le site de *La Presse*.] Oh mon Dieu! Ils ne veulent pas me laisser respirer un peu. Regarde, il parle encore de moi! «L'une des résidences perquisitionnées à Laval est celle de Steve Ovadia, 43 ans, relié au clan des frères Scoppa, selon la police.» Heille, j'ai pas parlé à ce gars-là depuis plus d'un an! Est-ce que je devrais l'appeler pour lui dire? Il doit m'adorer pour écrire mon nom deux fois dans des articles différents la même journée. Scoppa... Il doit aimer mon nom. Deux fois dans la même journée... *Give me a break!* Je devrais peut-être acheter ce journal. Ça lui fermerait le clapet. «Hey, tu me cherchais? Eh bien j'ai acheté le journal et tu travailles pour moi maintenant!»...

Comment pourrais-je prendre ma retraite de ce milieu quand mon frère fait tout pour me rendre fou, quand les journaux ne cessent de publier mon nom dans leurs histoires? Tout le monde parle de moi dans ces affaires de meurtres, d'incendies criminels. *What the fuck!* J'ai rien à voir dans tout ça. Pourquoi ils continuent tout le temps de me ramener dans ce monde-là? Hey, c'était donc vrai ce qu'il disait dans *Le Parrain 3*. Quand le Parrain [Michael Corleone] dit: «Juste au moment où je croyais m'en être sorti, ils me ramènent dedans...» [Il fredonne *Ain't No Sunshine*, de Bill Withers.]

19h08

Scoppa: Hey, Jew [Ovadia] s'est fait ramasser par les flics. [...] Espérons seulement qu'il ne nous arrivera rien à nous, *bro*.

AI: J'ai bien peur que Mental [Sal Scoppa] l'ait dénoncé. Et il a sûrement parlé de toi aussi aux flics. C'est drôle, chaque fois qu'un de ses coups foire, il se passe quelque chose avec la police.

Scoppa: Tu parles des cafés qui ont brûlé...

AI: Pourquoi ils auraient arrêté Jew pour les feux?

Scoppa: Jew n'a rien à voir là-dedans. Et pourquoi ils ont associé mon nom à ces feux?

AI: Ton frère a répandu des rumeurs...

Scoppa: Oui... *Bro*, mon frère est allé en Italie et il a dit à tout le monde je leur avais tout pris. Il a dit la même chose quand il est allé à Toronto. Alors que je n'ai rien fait.

AI: Ton frère veut tout avoir. Et il dit que tu lui mets des bâtons dans les roues.

Scoppa: *Anyways*... Penses-tu que Steve Sauce est malade pour vrai? Parce qu'il y a un tas d'histoires qui circulent sur son cas.

AI: Qu'est-ce que ça change qu'il soit malade ou non?

Scoppa: Ça peut compliquer la vie à ceux à qui il doit de l'argent. «S'il meurt, vas-tu aller collecter sa famille?» Moi, tu parles que je vais y aller! C'est pas cool? Lui, quand «le Kid de RDP» s'est fait tuer, Steve ne s'est pas gêné. Il est allé voir sa mère pour reprendre un cadeau qu'il avait donné au Kid. Ça, c'est pas cool! J'étais livide quand j'ai su ça. Et je lui ai dit. Il a fermé sa gueule. C'est une bande d'idiots.

En tout cas, je souhaite qu'il n'arrivera rien du genre à Jew. Même si je ne l'aime pas, je ne lui souhaite pas de mal. Parce que Jew a déjà mis Sauce dans l'embarras avec les motards. Jew s'est fait pincer par l'escouade du crime organisé. Ils ne l'ont certainement pas ciblé pour rien. Ils ont sûrement quelque chose sur lui. Les flics vont essayer de le *squeezer.* Ils vont lui dire quelque chose comme: «T'es fini, tu dois beaucoup d'argent, y a plein de monde qui courent après toi, tu peux pas te cacher nulle part, ta femme va se retrouver à la rue...»

AI : Je pense qu'il serait du genre à déballer son sac.

Scoppa : Possible. Hmmm... Je pensais de partir dans le Sud la semaine prochaine. Pour deux semaines. Je vais aller relaxer...

19 h 47

Scoppa : Je ne veux même pas... Je ne voudrais jamais... Je ne veux pas être le boss. Pour devenir un boss, il faut le vouloir. Ça doit être un but que tu te fixes. Pas moi. [...] Sal, mon frère... Je ne veux pas le voir. Je ne lui parle pas. Ni directement ni indirectement. Je ne veux rien savoir de lui.

20 septembre 2016

19 h 07

Vers 19 h 07, [un avocat] mentionne au sergent-détective François Lambert qu'il est sur mains libres avec une stagiaire et Andrea Scoppa. [L'avocat] dit que son client, Andrea Scoppa, se sent suivi ces derniers jours et comme nous sommes mardi soir et que les frappes policières arrivent parfois le mercredi, il demande si son client sera arrêté, car il va se livrer sans problème si c'est le cas. Andrea Scoppa vient sur la ligne et parle en anglais en disant qu'il n'a rien chez lui et qu'il se sent suivi dernièrement et qu'il ne veut pas qu'on fasse peur aux enfants s'il est arrêté. Le S/D Lambert répond qu'il n'a aucune idée, car la raison pour laquelle [l'avocat] l'avait contacté plus tôt dans la journée était en lien avec l'arrestation de Steve Ovadia qui fut arrêté à son domicile [...]. Andrea Scoppa dit que si jamais on doit l'arrêter, d'appeler son avocat.

21 septembre 2016
Andrew Scoppa (Scoppa) et un homme d'affaires (H)

14 h

Scoppa: Tu as reparlé à ton gars qui nous fournirait les poulets? Il serait en Italie? D'où exactement?

H: De Naples. Tous ceux qu'on connaît là-bas viennent de Naples. Oui, je leur ai parlé et tout est beau.

Scoppa: C'est beau? Alors ils peuvent nous fournir cette quantité?

H: Oui, beaucoup, crois-moi.

Scoppa: Et as-tu pu avoir un prix?

H: Non, c'est tout ce qu'il manque. D'ailleurs il faudrait s'asseoir pour déterminer les détails sur la provenance, la destination et ce qu'on va faire...

Scoppa: Écoute, ça part de l'Italie et ça débarque à Dubaï. J'ai besoin de savoir le prix des poulets et ce que ça coûterait pour les transporter jusqu'à Dubaï. Ton fournisseur devrait te le dire.

H: OK. Combien de conteneurs?

Scoppa: Commençons avec un et si le premier passe... Parce que dans un conteneur, il en rentre environ 150 000. Je veux pas qu'on s'emballe trop vite, alors allons-y avec un pour commencer. On verra ensuite. Je veux marcher avant de courir.

H: OK. Je vais l'appeler tout de suite.

23 septembre 2016

Andrea appelle un représentant chez sa compagnie de location de véhicules. Il veut changer de véhicule parce qu'il a mal au dos dans celui qu'il loue actuellement. Il exige un véhicule de couleur noire.

27 septembre 2016

[L'homme d'affaires] dit à Andrew que le prix pour un poulet entier de 1 kg est de 3 euros. Ils discutent du taux de change en dollar canadien. Andrew dit qu'ils devraient faire 30 cents de profit sur chaque kilo. [L'homme d'affaires] se dit satisfait. Andrew dit à [l'homme d'affaires] qu'il va appeler son client et le rappeler.

3 octobre 2016

Appel d'Andrea Scoppa dans une clinique privée où il demande un rendez-vous afin de subir une colonoscopie. Il confirme être référé par un autre médecin. La secrétaire lui demande de lui envoyer cette référence par télécopieur et lui précise le numéro. Scoppa demande combien de temps il devra attendre avant d'avoir son rendez-vous. Possiblement d'ici une semaine. Il demande quel sera le tarif : 525 $. La secrétaire l'avise qu'il devra suivre un régime liquide au cours des 24 heures précédant la procédure.

4 octobre 2016

Andrea parle à une femme en l'appelant «maman». Il lui demande comment elle va. Elle répond qu'elle va bien. Il lui souhaite un bon festin d'anniversaire. Elle le remercie. Il lui demande si elle va aller magasiner son nouveau matelas avec [...]. Elle dit oui. Andrea lui dit de choisir celui qui est le mieux pour elle, de prendre son temps pour choisir celui qu'elle veut. Elle répond : «OK. Bye.»

5 octobre 2016

Andrea dit que tout le monde devrait faire sa part pour ce genre de chose, comme lui le fait pour sa mère. Il déplore que [un membre de sa famille] soit un arnaqueur qui prétend être un bon citoyen. Un imposteur qui ne démontre aucun respect envers leur mère. Il dit avoir des problèmes avec ses frères mais ils devraient au moins démontrer du respect pour leur mère pendant qu'elle est toujours vivante.

7 octobre 2016

[Un membre de la famille] dit que Sal a appelé et qu'il a fait pleurer maman. Andrea dit que Sal aime ça quand il force leur mère à se sentir mal. Andrea qualifie Sal d'idiot. *Fucking gangster.* Andrea s'informe du magasinage pour le matelas neuf de leur mère. Ils iront probablement ensemble pour l'acheter dimanche prochain.

7 octobre 2016

Andrew Scoppa (Scoppa) et Nicola Valiante (Nick)

17h46

Scoppa : Je connais ce gars-là. Et lui, il est associé à tous ces autres gars. Les bons gars. Ils essaient de mettre la main sur le Livre. Je vais entrer en contact avec lui. Parce que si ces gars-là peuvent prendre le Livre, je vais pouvoir me faire payer. Enfin, tu sais quoi ? Je vais prendre possession du Livre avec eux. Et alors je vais récupérer mon argent. On va exploiter le Livre ensemble. On pourrait former une alliance. Mais juste avec les bons gars.

18h35

Scoppa : Moi, je vais à la maison voir maman et faire en sorte qu'elle se sente bien. J'essaie d'être gentil pour elle. Je prends soin d'elle. Je répare des choses dans la maison. Je lui demande ce qu'elle veut, ce dont elle a besoin. Je le lui apporte. Et les autres, qu'est-ce qu'ils font ?... Non vraiment, ma mère est un ange, *bro*. Elle ne ferait pas de mal à une mouche. C'est une bonne personne. Elle n'a aucune éducation, elle n'a rien. Quand elle était jeune, elle travaillait dans les champs pour permettre à ses frères et sœurs d'aller à l'école. Elle travaillait pour qu'il y ait à manger sur la table pour tout le monde. Et qui s'occupe de ses fils? Moi. Qui est en train de devenir fou? Moi. C'est la faute de qui? La mienne. Vaut mieux en rire, Nick. Je ne suis plus capable. C'est trop. N'importe qui à ma place se retrouverait à l'hôpital, Nick. J'ai trop d'affaires à m'occuper. Ça m'écrase. Il faut que je *deal* avec des choses qui sont totalement hors de contrôle. Chaque jour. Chaque jour, j'ai le vent dans la face. Je cours tout le temps avec le vent dans la face. Mais je veux continuer de prendre soin de ma mère. Pauvre elle. Je lui ai donné quelques centaines de dollars pour qu'elle s'achète quelque chose. Ma mère n'avait pas besoin de pleurer le jour de son anniversaire. *Man*, elle est rendue à 80 ans. 80 ans. Faut s'occuper de sa santé. [Un membre de sa famille] devrait s'en occuper, pas la faire sentir comme de la merde. C'est pas correct. Ma mère ne comprend pas l'anglais, Nick. Elle a besoin de... Mais je ne peux pas tout faire, *man*. J'ai du mal à garder le *focus*. Je suis pris à tout faire pour tout le monde. Il faut que je m'occupe de moi. Avant que quelqu'un m'en mette deux [balles] dans la noix de coco. Pour quelque chose que je n'ai pas fait mais plutôt parce que quelqu'un d'autre a foutu la merde. Au moins, si c'était moi qui avais fait quelque chose, je mériterais d'en recevoir deux dans la noix de coco...

9 octobre 2016
Andrea demande ce qui se passe. [...] répond que maman a préparé son plat préféré : des aubergines farcies comme Andrea les aime.

10 octobre 2016

15h34

Scoppa: Mon frère [Sal], tout le monde le connaît à cause de moi. Je lui ai pavé la voie. «Oh! t'es le frère d'Andy? OK.» Et maintenant, il ne m'adresse même plus la parole. Je ne lui ai pas parlé depuis longtemps.

12 octobre 2016

Andrew dit à [...] de faire le ménage partout dans la maison et de s'assurer que maman n'ait rien à faire. Andrew s'informe du nouveau matelas de sa mère. [...] répond qu'ils attendent encore la livraison. Andrew dit qu'ils vont changer de matelas si maman [ne le trouve] pas confortable et qu'elle ne dort pas bien.

Andrea Scoppa (AS) et Fazio Malatesta (FM)

18h20

FM: Bro, j'ai eu les transcriptions des déclarations du délateur dans le projet Magot-Mastiff.

Scoppa: Et puis?

FM: Ton nom apparaît deux fois. Tu le connais, ce [gars]?

Scoppa: Ouais. Bien, je le connais pas mais...

FM: Il est devenu un rat. Et il mentionne ton nom aux flics à deux reprises.

Scoppa: Oui, le mien et celui de mon frère. J'en ai entendu parler.

FM: J'ai apporté les transcriptions avec moi.

Scoppa: Tu les as ici?

FM : Oui.

Scoppa : Je vais y jeter un coup d'œil. Ils n'avaient rien pour m'arrêter.

FM : Il dit que tu étais présent à un meeting dans un restaurant avec des motards et Greg Woolley.

Scoppa : Je ne suis jamais allé là avec eux.

FM : Et le Hells [André] Sauvageau.

Scoppa : Frisé [Sauvageau]. Je le connais. Mais je n'étais pas là avec eux. Jamais de la vie.

FM : C'était pas à cause de ça qu'ils se sont tous fait arrêter dans cette enquête-là, non ?

Scoppa : J'en sais rien, *bro.* Tu vois comment le monde m'implique dans des affaires où je n'ai rien à voir ?

FM : Les maudits rats, hein ?

Scoppa : Incroyable.

13 octobre 2016

12 h 58

[L'homme d'affaires] dit à Andrea qu'il attend après lui concernant le poulet pour Dubaï. Andrea lui répond qu'il allait justement l'appeler. Il dit qu'il a parlé à la tierce personne [client] et qu'elle tient absolument à faire venir le poulet du Brésil. [L'homme d'affaires] demande pourquoi. Andrea répond qu'il ne sait pas mais qu'il croit que le poulet coûtera moins cher au Brésil qu'en Italie. Andrea dit que c'est plus compliqué qu'il croyait au départ. [L'homme d'affaires] dit : «*Fuck*, mes gars sont en train de tout préparer, ils ont déjà les conteneurs et nous assurent de nous fournir tout ce qu'on a besoin.»

[L'homme d'affaires] ajoute qu'il doit les payer. Andrea lui dit de venir le voir lundi et qu'ils iront rencontrer la tierce personne pour lui parler.

15h
Andrea dit qu'il ne sait pas ce qui ne va pas avec son estomac. Il passe son temps aux toilettes avec une maudite diarrhée. Il a du mal à se retenir. Il dit à Nicola que là, c'était urgent. Au point où il a même été obligé de remiser son caleçon souillé dans un sac. Nicola lui demande si ça va mieux. Andrea répond que non.

Extrait de l'article «Le mafieux Vincenzo Spagnolo abattu à Laval», mis en ligne sur le site web du *Journal de Montréal* le 15 octobre 2016:

Le mafieux Vincenzo Spagnolo a été abattu par balle dans le quartier Vimont à Laval samedi en fin d'après-midi, a appris notre Bureau d'enquête.

Il a été conduit dans un centre hospitalier de la région où son décès a été constaté.

Spagnolo était un ami très proche de l'ex-parrain de la mafia montréalaise Vito Rizzuto. Il a notamment été le confident et bras droit de Rizzuto quand ce dernier est revenu de son emprisonnement dans le Colorado.

16 octobre 2016
Andrea Scoppa (Scoppa) et un homme inconnu (HI)

HI: Intéressant comme *weekend*.

Scoppa: Oui, je sais, mais, *fuck*, j'espère que ces gars-là ne vont pas croire que c'est moi qui ai pu faire quelque chose d'aussi stupide. Je ne ferais jamais quelque chose comme ça. Je n'avais rien contre cet homme-là.

HI: Tu l'avais dit à ce gars, Steve...

Scoppa: Oui, je lui ai dit : Écoute, tout ce que je veux, c'est de ravoir ce qui m'appartient. C'est tout. Je ne cherche pas à avoir la peau de personne. J'ai été clair avec lui là-dessus. Il sait ce que je veux.

HI: Wow!

Scoppa: Je ne sais pas, *man*. Je trouve ça plutôt étrange, ce coup-là. Celui ou ceux qui ont fait ça sont stupides. J'la comprends pas. Est-ce qu'ils voulaient leur envoyer un message ? Est-ce une réplique à quelque chose qu'ils ont fait récemment ou encore qui remonte à plus loin ? Ou parce qu'il y a des gars de la construction qui n'ont pas voulu payer ? J'en ai pas la moindre idée. Mais moi, je n'aurais jamais fait quelque chose d'aussi stupide, ça c'est sûr.

HI: Non, je le sais.

Scoppa: C'est vrai que j'en ai contre son fils et je vais aller lui arranger le portrait en temps et lieu. Mais je n'avais rien contre son père. En fait, je l'aimais bien, son père. Lui, il ne m'a jamais rien fait. Mais cette gang-là, ils ont fait tellement de merde et se sont fait tellement d'ennemis.

HI: Eh bien, ça se voit.

Scoppa: Un tas de gens leur en veulent. Est-ce que Steve t'a appelé ?

HI: Non. Je vais le voir plus tard. OK. Fais attention à toi.

Scoppa: OK. Ciao.

Résumé de deux conversations téléphoniques entre Andrea et une agente de voyages :

Andrea dit que ça fait longtemps qu'ils ne se sont pas parlé, qu'il est très occupé et que c'est dur d'être un homme d'affaires. Il voudrait savoir la durée d'un vol entre Montréal et les îles Turks-et-Caïcos [territoire britannique d'outre-mer situé dans les Caraïbes]. Elle répond cinq heures et demie. Il s'informe des prix au complexe hôtelier Beaches des îles Turks-et-Caïcos pour deux semaines à partir du 23 décembre, pour trois adultes et un enfant. Elle le prévient que ça lui coûtera très cher et qu'elle lui communiquera les tarifs plus tard en journée. Andrea s'informe aussi d'un hôtel à Saint-Martin. De plus, il lui demande si la température est belle en Argentine au début du mois de novembre. Il précise qu'il aimerait partir seul à destination de ce pays le mois prochain et voudrait avoir des suggestions d'hôtels et de prix à Buenos Aires pour une dizaine de jours. Elle le rappelle et l'avise qu'au Beaches des îles Turks-et-Caïcos, il lui en coûterait 24 000 $ pour quatre personnes. Andrea éclate de rire. « Wow ! dit-il. C'est beaucoup d'argent. » Il va la rappeler plus tard.

17 octobre 2016
Andrea Scoppa (Scoppa) et Nicola Valiante (NV)

9 h 28
Scoppa : Regarde, avec ce qu'ils ont fait, ils viennent de mettre Steve Sollecito au pied du mur. Qu'est-ce qu'il va faire maintenant, le Parrain ? Eh bien, quand tu as de l'argent, tu passes à l'action. Tu embauches un des « *Black guys* ». Il faut qu'ils tuent quelqu'un. Ils viennent de se faire frapper et ils doivent riposter. S'ils ne font rien...

NV : Ils vont avoir l'air stupides.

Scoppa : Oui. Alors ils vont vouloir frapper quelqu'un. Comme les Scoppa, j'imagine. Mon frère est mieux de surveiller ses arrières.

10h15
(*À la radio, on parle du meurtre de Vincenzo Spagnolo.*)
Scoppa : Toute cette affaire me place dans une position où je devrais poser une action parce que ces gars-là vont probablement essayer de tenter quelque chose contre moi. Mais je n'ai pas l'intention de faire quoi que ce soit maintenant.

15h43
Andrew dit que les flics sont sans doute en train de surveiller tout le monde au cas où il se préparerait des représailles. Il mentionne qu'il doit subir sa colonoscopie ce vendredi et qu'il devra [suivre] un régime liquide toute la journée précédente.

19h08
(*Andrew chante* New York, New York, *de Frank Sinatra.*)
NV : Qu'est-ce que t'as à être si content ?
Scoppa : Je suis heureux. [Il soupire.] Une autre journée qui s'achève dans ma vie.

18 octobre 2016
Andrea Scoppa (Scoppa) et Nicola Valiante (NV)

6h16
NV : Les cartels ont descendu un juge au Mexique.
Scoppa : Pas un maudit juge ?
NV : Un juge très réputé. Ils l'ont tiré juste devant sa maison.
Scoppa : Y a plus personne en sécurité de nos jours. Tu sais, je pars en voyage aux fêtes parce que je ne voulais pas rester ici pour Noël. Ça ne me tentait pas d'acheter encore des maudits cadeaux pour tout le monde comme je fais à chaque année. Joyeux Noël, *bye* ! Je suis tanné, *man*. Je suis fatigué.

NV: Pas d'échange de cadeaux?

Scoppa: Chaque année, j'envoie des cadeaux à tout le monde. Ça me coûte des milliers de dollars. C'est correct. Mais certains d'entre eux ne prennent même pas la peine de me faire parvenir une simple carte de souhaits. Juste une maudite carte où ce serait écrit : « Merci, passe un beau temps des fêtes avec ta famille. » Hein? Une carte ou une petite bouteille de vin. Mais non. Qu'est-ce que tu veux que je te dise? Écoute, Nick, les six dernières années ont été épuisantes. Je suis en train de perdre la boule. Il paraît que je passe mon temps à mettre des bâtons dans les roues de plein de monde. Je cause des problèmes à plein de monde. Je suis le problème, apparemment. Je suis en train de devenir fou. [...] J'espère qu'il va pleuvoir vendredi.

NV: Pour ta colonoscopie?

Scoppa: Ouais, mais après ça, je vais aller manger un bon lunch, puis aller passer le reste de la journée au spa. Je vais me *booker* un *facial* et un *body scrub* pour me débarrasser de toutes les peaux mortes. Je vais me faire refaire une beauté. [...] Hey, comment tu penses que [...] se sent ce matin?

NV: Probablement comme un ver de terre que tu viens de couper en deux avant de le piquer sur un hameçon à la pêche...

Scoppa: C'est une vidange. Ce gars-là m'a sucé la queue pendant deux ans, comme une vraie petite *bitch*. Puis aussitôt que Vito [Rizzuto] est revenu ici, lui et tous les autres m'ont poignardé dans le dos. Mais quand Vito était emprisonné là-bas, c'était « Andrew, t'es le meilleur ici, pis Andrew, t'es le meilleur là... »

12h22

Scoppa: Je pense que je suis bien trop gentil avec. C'est le temps de me payer ce qu'il me doit. C'est ridicule. Sa dette remonte à 2011. Aujourd'hui, elle est rendue à 4,4 millions de dollars.

15h46

Scoppa: Peut-être que Vito l'attend lui aussi, là-haut. Qu'il l'appelait en l'invitant à aller le rejoindre. Il semble que tous ses amis sont là avec lui maintenant. Vito est probablement le patron là aussi!

NV: La Table de la Grappa.

Scoppa: Ah!!!

NV: Non, désolé. Ce serait plutôt la Table du Limoncello. La Table de la Grappa, elle est ici...

16h43

Scoppa: Je passe mes journées à courir en rond, juste à essayer de sauver mes fesses, parce que je me suis mis dans la merde. Ben, pas moi, c'est eux qui m'ont mis dans cette merde-là. Il faut que je reste loin de tout ce monde-là. Je suis tellement écœuré, si tu savais. [...] Écoute, je devrais peut-être me trouver une vraie job, *man*. Quelle entreprise je pourrais acheter? Tu sais, une entreprise qui marcherait bien... *Fuck!* Je ne peux pas me protéger. J'essaie de calmer le jeu, de convaincre tout le monde que je n'ai rien à voir dans ces affaires-là. Mais je ne sens pas qu'ils me croient et qu'ils me respectent. Alors je devrais peut-être m'éclipser et me faire oublier.

18 octobre 2016
Andrea Scoppa (Scoppa) et Nicola Valiante (NV)

6 h 21
Scoppa : Quand j'entends des rumeurs voulant que ma vie soit en danger, je vais voir et confronter ceux qui les répandent. Je ne me cache pas. Je leur dis que j'ai rien à me reprocher. J'ai rien fait de mal.

NV : T'es curieux ?

Scoppa : C'est pas ça. Je sais comment ces gars-là pensent. Si tu te caches, les gars sur la rue vont penser que c'est parce que tu as quelque chose à te reprocher. Ah ! j'ai fait un criss de cauchemar la nuit passée...

NV : T'as fait un cauchemar ?

Scoppa : Ben oui. J'en fais tout le temps...

21 octobre 2016

11 h 40
Andrew [appelle] une clinique privée de dermatologie et d'esthétique. Il demande un rendez-vous pour une consultation avec le Dr [...]. Ce serait pour traiter des veines rouges dans son visage et peut-être aussi avoir quelques injections de Botox. La secrétaire lui suggère le jeudi 27 octobre à 9 h 45. Andrew dit que c'est correct. Elle lui mentionne qu'il y a des frais de 100 $ pour la consultation qu'il doit payer dès le moment de la réservation et qu'il peut faire le paiement au téléphone par carte de crédit. Andrew demande s'il peut plutôt passer à la clinique et payer comptant. Elle lui explique qu'elle devra alors attendre qu'il se présente à la clinique pour fixer son rendez-vous s'il ne peut payer par carte de crédit. Andrew lui

demande son nom, dit qu'il n'a pas sa carte de crédit avec lui et qu'il passera plus tard ou rappellera au cours de la journée.

26 octobre 2016

20h20

Andrea reçoit un appel d'une femme. Il l'appelle «*sweetie*», lui demande s'il peut la rappeler et si elle a besoin de quelque chose. Elle lui répond qu'elle veut savoir ce qui s'est passé depuis cet avant-midi et exige des explications de sa part. Andrea dit qu'il lui expliquera tout cela quand il reviendra à la maison. Elle lui demande s'il est correct. Andrea répond qu'il est OK. Il lui dit de relaxer. Elle lui répond qu'elle ne pense pas être capable de relaxer. Andrea lui dit de ne pas s'inquiéter pour lui, qu'il l'aime et qu'il sera à la maison bientôt.

CHAPITRE 14
LA TOUR
DES CANADIENS

Il y a des choses qu'on comprend rétrospectivement. Pendant cette période-là, la Tour des Canadiens, Andrew y était souvent le matin, et il voulait toujours me rencontrer dans Griffintown, en fin d'avant-midi ou en début d'après-midi. Il arrivait toujours à pied et me rejoignait dans ma fourgonnette. Je me disais que c'était loin de chez lui, et ce n'est qu'après que j'ai compris...

Toutes les conditions étaient réunies là pour qu'on soit pris en filature. Andrew faisait preuve d'une grande imprudence en consentant à ces rencontres: il menait des activités criminelles en plein centre-ville de Montréal et on se rencontrait ensuite, pas loin des rues de la Montagne et Notre-Dame, même pas à 1 km du Centre Bell. Une fois, j'ai remarqué la filature du projet Estacade. J'étais certain qu'on était surveillés. Souvent Andrew pensait qu'il était suivi. Mais, c'est important de le mentionner, lors de nos rencontres, il n'avait pas l'air de soupçonner la présence d'une filature, même si on a été vus ensemble.

Plus tard, Andrew a voulu me faire écouter des enregistrements de *car bug* des policiers. La drogue trouvée dans la Tour des Canadiens n'était pas à lui, me répétait-il, il n'avait rien à voir là-dedans. Et il tenait absolument à ce que je le crois. Il répétait: «*Do you believe me? I never lied to you.*» Et il se tuait à me dire que les enregistrements plutôt incriminants que j'entendais, ce n'était pas ce qu'il disait, que c'était juste des erreurs des policiers. J'ai trouvé qu'il poussait pas mal fort...

Il a aussi essayé de me fourvoyer et de me lancer sur des fausses pistes. Quand nous nous rencontrons deux jours après le meurtre du vieux Spagnolo à Laval, je demande à Andrew pourquoi il a été tué. «*Because he was the Guardian of The Book of Truth...*» me répond-il. Je lui demande alors ce que c'est. «Il connaissait les secrets que d'autres auraient aimé voir enfouis à jamais...» Ça n'existe pas, ça, *The Book of Truth*. Ce que je ne savais pas, c'est que Vincenzo Spagnolo, c'est lui et son frère Salvatore qui l'avaient tué. Ou à tout le moins, c'est eux que la police soupçonnait. Et au lendemain du meurtre, Andrew était avec moi dans la fourgonnette à essayer de m'envoyer chercher *The Book of Truth*... Il était sous écoute électronique et sous filature à ce moment-là. Rétrospectivement, je me suis dit: «Mais quel manipulateur!»

Le 26 octobre 2016, l'Escouade régionale mixte (ERM) de lutte contre le crime organisé de la Rive-Nord appréhende Andrea Scoppa, son chauffeur Nicola Valiante, un complice allégué du nom de Fazio Malatesta et plusieurs autres suspects, après deux ans d'enquête dans le cadre de l'opération Estacade.

L'enquête tend à démontrer que Scoppa et Malatesta, qui serait « un important trafiquant de cocaïne » selon l'ERM, utiliseraient la Tour des Canadiens comme « lieu de transit et d'entreposage » de grandes quantités de cette drogue.

Après avoir observé Scoppa et Malatesta dans le stationnement souterrain à plusieurs reprises au cours des jours précédents, les policiers procèdent à leur arrestation. Des perquisitions sont menées à l'intérieur des véhicules et des condos de Scoppa et de Malatesta. Chez ce dernier, au condo no 2115, les policiers saisissent 15 kg de cocaïne dans deux sacs ornés de « bonhommes sourire » et autres émojis. Chaque « brique » de coke est soigneusement enrubannée et recouverte d'un emballage contenant du liquide, une technique utilisée par les importateurs de drogue afin de masquer l'odeur de la drogue et d'en compliquer la détection par les forces de l'ordre. Des analyses de Santé Canada révéleront plus tard que le niveau de pureté de ces 15 kg de drogue varie de 83 % à 86 %, « ce qui correspond à une qualité élevée », d'après des documents judiciaires au soutien de ce projet d'enquête. Le petit appartement renferme aussi 7,2 kg de cannabis, 14 300 $ en argent liquide et deux boîtes pleines de cartouches de calibre .45. Les policiers y trouvent également une feuille de comptabilité sur laquelle il est écrit que, pour chaque kilo de coke, une somme de 2000 $ de profit doit être versée à « Uncle » (« L'Oncle »), un surnom attribué à Scoppa, d'après la police.

Coïncidence ou pas, cela correspond exactement au profit qu'un trafiquant peut espérer réaliser sur un kilo de cocaïne, si l'on en croit ce que Scoppa nous a dit lors de notre séjour en Catalogne, en nous expliquant qu'il est beaucoup plus périlleux d'importer de la drogue que d'exploiter le fameux Livre...

Durant la même perquisition du 26 octobre 2016, les policiers de l'ERM confisquent également 65 kg de cocaïne dans le coffre arrière du VUS Infiniti QX60 de Malatesta. La drogue est répartie dans sept sacs à vidanges noirs. Un dessin de Bruce Lee, le défunt acteur et expert en arts martiaux, de même que le logo de la banque HSBC figurent sur l'emballage de plusieurs de ces paquets. L'escouade saisit 31 kg additionnels de cocaïne dans une cache de stupéfiants du réseau sur la 13e Avenue, dans le quartier Saint-Michel. En tout, l'opération permet de mettre la main sur 111 kg de poudre blanche, d'une valeur de plus de 5 millions de dollars sur le marché montréalais de la drogue.

Il n'y a aucune drogue dans le condo de Scoppa. Toutefois, les policiers y trouvent la rondelette somme de 55 000 $, soit 30 000 $ dissimulés derrière le tiroir d'une table de chevet, 20 000 $ en liasses de billets de 100 $ cachées dans une serviette sur une tablette d'un garde-robe et 5000 $ en coupures de 100 $ attachées avec un élastique.

Dans le VUS Toyota Rav4 utilisé par Scoppa et son chauffeur, on découvre notamment un sac de sport contenant 3940 $ en liasses de 20 $, une carte avec une photo du pape Jean-Paul II et la reproduction d'un « ange protecteur », qui n'a pas suffi à les protéger de cette rafle policière.

Nous avons eu accès aux notes personnelles dans lesquelles les sergents Frédéric Auger et Jean-Luc Brisebois, de la Sûreté du Québec, et l'agent Frédéric Guay, de la police de Laval, ont documenté les perquisitions menées à la Tour des Canadiens.

Nous avons aussi pu consulter celles des enquêteurs Gilles Leblanc, Daniel Aloise (tous deux de la GRC), Christian Ouimet et Daniel Vaillancourt (membres de la SQ) sur l'arrestation d'Andrea Scoppa ce jour-là. Minute par minute, ces notes nous permettent de nous glisser dans la peau des policiers qui ont procédé à l'opération du 26 octobre 2016 et de la suivre pas à pas avec eux:

10h23

Andrea Scoppa arrive au garage du 5e étage du stationnement souterrain de la Tour des Canadiens, située au 1288, avenue des Canadiens-de-Montréal, par la porte centrale menant aux ascenseurs. Il se déplace vers le Rav4 avec un sac de sport foncé puis disparaît derrière une colonne de ciment. Scoppa est observé quitter à pied l'espace de stationnement puis quitter le garage par la porte centrale menant aux ascenseurs. Il ne transporte alors pas de sac de sport. Un Dodge Charger est observé, [il] se stationne de reculons à côté du Rav4, [la] portière avant passager s'ouvre, Scoppa sort de cette portière pour se diriger à l'arrière du Rav4 en guidant le conducteur du Charger dans sa manœuvre de reculons. Scoppa quitte [sans] rien dans les mains. La Charger quitte. Scoppa et (Nicola) Valiante retournent vers le Rav4. Le feu vert est alors donné [pour les arrêter].

11h

Andrea Scoppa est passager avant du Rav4 conduit par Nicola Valiante. Le gendarme Gilles Leblanc (GRC) lui crie POLICE! Valiante est sommé de se coucher au sol et il est menotté avant d'être conduit dans un véhicule de police. Le gendarme Leblanc demande à Scoppa de sortir, ce qu'il fait.

— Vous êtes en état d'arrestation pour trafic de drogue, est-ce que vous comprenez? dit aussitôt l'enquêteur en s'adressant à Scoppa en anglais.

— Oui, répond ce dernier en lui demandant de quelle escouade policière [il] fait [...] partie.

— On verra à cela plus tard, se contente de dire le gendarme Leblanc.

L'enquêteur lui lit ensuite ses droits. Scoppa est fouillé. Il a en sa possession 657$ en devises canadiennes dans une poche de son pantalon, un billet de loterie, deux vapoteuses et deux téléphones de marque BlackBerry. Scoppa est menotté les mains en avant, on le fait asseoir à l'arrière d'un véhicule de police autre que celui où Valiante a été placé et on l'escorte à l'extérieur de la Tour des Canadiens.

11h40

Arrivé dans le stationnement du quartier général de la GRC à Westmount, Scoppa dit aux policiers qu'ils ont oublié de fouiller la poche intérieure de son manteau. Scoppa remet alors une liasse d'argent en coupures de 100$ et de 50$ attachés avec un élastique: 4100$. Décompte total: 4757$ (24 x 100$, 46 x 50$, 2 x 20$, 3 x 5$, 1 x 2$). Scoppa est ensuite placé dans une cellule.

14h45

Andrew Scoppa demande quand nous allons le rencontrer. Il demande à parler à son avocat, Frank Pappas.

15h18

Andrew Scoppa est amené dans une salle pour appeler son avocat. Le gendarme Leblanc rejoint Me Pappas sur son cellulaire. Scoppa et son avocat sont laissés seuls.

15h24

Début de la rencontre avec Scoppa. Le gendarme Leblanc lui explique que Fazio Malatesta est sous surveillance depuis quelques semaines, qu'il y a des perquisitions présentement. Scoppa demande s'il va être détenu ou s'il pourra retourner avec sa famille ce soir. Il nous donne son adresse. Il nous demande si on va garder l'argent qu'on a trouvé sur lui. On lui répond que oui.

15h35

Andrea Scoppa nous parle de sa famille, de sa femme qui est brésilienne et [de] son fils de 6 ans qui adore le soccer et est un fan de Neymar.

Le sergent Christian Ouimet lui demande pourquoi il était à la Tour du centre Bell. Il répond qu'il s'entraîne là, que c'est tranquille, qu'il craint pour sa vie et qu'il a un condo à cette adresse. Ouimet lui demande le numéro du condo, Scoppa ne veut pas répondre. Comment il connaît Malatesta? Il répond que c'est une connaissance. Nous lui expliquons qu'en suivant Malatesta on l'a croisé. Scoppa dit : « Et là vous avez vu son boss et c'est pour ça que vous m'avez arrêté aujourd'hui. »

15h42

On lui explique qu'après la journée, les dossiers seront soumis à un procureur de la Couronne qui décidera si oui ou non des accusations seront portées contre lui et que d'ici là, il sera libéré. Les policiers l'amènent dans le garage quelques minutes pour lui permettre d'aller vapoter.

15h49

Avant de le ramener en cellule, le sergent Ouimet lui demande de quelle région de l'Italie il est originaire. Andrea dit qu'il est calabrais et qu'il est arrivé ici vers l'âge de 4 ans. Le sergent Ouimet lui demande ce qu'il pense de la situation en ville maintenant. Andrea répond en anglais : « *It's a mess* », ce qu'on pourrait traduire par « C'est la pagaille » ou « C'est un gâchis ».

18h03

On explique à Andrea Scoppa les documents à remplir avant sa libération, sa promesse de comparaître le 25 janvier 2017 au palais de justice de Montréal, et on l'avise qu'il aura des conditions à respecter, dont le dépôt de son passeport au quartier général de la GRC d'ici trois jours. Scoppa refuse de signer les conditions.

18h15

Andrea Scoppa est libéré en même temps que Valiante et Malatesta. On lui remet ses effets personnels sauf les 4757 $ saisis sur lui.

18h50

Andrea Scoppa revient à la Tour des Canadiens. Il déverrouille le condo no 4213 avec une clé. Il est interpellé avant d'entrer. Nous l'avisons que nous sécurisons la place en attendant notre mandat de perquisition. Il dit vouloir récupérer quelque chose à l'intérieur mais il ne dit pas quoi. Nous lui disons qu'il ne peut entrer pour le moment mais que nous pouvons lui donner ce qu'il veut, à l'exception de sommes d'argent, drogue ou armes. Scoppa quitte aussitôt.

CHAPITRE 15
L'INTERROGATOIRE

24 août 2019. Première journée de rencontre avec notre source en Espagne. Nous nous réveillons extrêmement motivés, déjeunons au lobby de l'hôtel et, vers 9 h 45, nous voyons arriver notre source. « *Those fucking-guys-no-good-for-nothing-piece-of-shit!* **» lance Andrea. «** *I cannot fuckin train! Their fucking gym is closed in the morning!* **»**

Bon, le gymnase de son hôtel est fermé, il n'a donc pas pu s'entraîner comme prévu et il n'est pas content du tout. En plus, il se met à tousser très fort et à cracher par terre à l'extérieur de l'hôtel. «*I think I'm sick*», dit-il. C'est vrai qu'il n'a pas l'air dans son assiette. Peut-être que la perspective de dévoiler ses secrets à deux reporters aux affaires criminelles pèse dans la balance. Quoi qu'il en soit, nous n'avons pas d'autre choix que de commencer.

Nous montons dans ma chambre au troisième étage du Holiday Inn. C'est une chambre bien modeste qui manque de couleurs et d'espace. Andrew prend place sur une chaise bien droite à côté du téléviseur, adossé contre un mur. Eric s'assoit sur une autre chaise en face de lui, à sa droite, tandis que je m'installe au pied du lit *queen*, à sa gauche. Nous plaçons une enregistreuse à 60 cm de sa bouche. Il entre très peu de lumière extérieure dans cette chambre exiguë. Andrew a le visage aussi pâle que le mur. Il est déjà en sueur, comme s'il était claustrophobe. C'était une très mauvaise idée de notre part, à bien y repenser. Scoppa devait avoir l'impression d'être dans une salle d'interrogatoire.

Malgré son malaise bien palpable, il se met à parler et à répondre à nos questions, et cela dure près de deux heures. Encore aujourd'hui, il est difficile de concevoir à quel point toute cette démarche avait quelque chose d'exclusif et de réaliser ce qui allait suivre.

Mais soudain, Scoppa n'en peut plus et demande une pause. Il se lève et fait les cent pas dans la petite chambre d'hôtel où il est enregistré. « J'étouffe ici. Et cette maudite machine me dérange vraiment », dit-il en parlant de l'enregistreuse. « Pourquoi on n'irait pas continuer ça ensemble sur une plage ? » nous demande-t-il alors sur un ton convaincant en nous fixant d'un regard qui incite à ne pas le contredire, mais à le suivre hors de l'hôtel.

Trois semaines après avoir arrêté Andrew Scoppa et fouillé son condo de la Tour des Canadiens lors du projet d'enquête Estacade, l'Escouade régionale mixte (ERM) Rive-Nord de lutte contre le crime organisé effectue une perquisition à son domicile, sur l'île Bizard, le 17 novembre 2016. Les policiers sont alors en quête de ce qu'ils appellent des «produits de la criminalité» à confisquer, comme des montants d'argent liquide qui proviendraient du trafic de drogue.

Nous avons eu accès aux notes personnelles colligées par les sergents Michel Patenaude et Mathieu Richer, membres de la Sûreté du Québec, pour décrire en détail le déroulement de cette perquisition. Impossible de rester indifférent à la lecture de ces rapports qui nous font vivre une opération surprise menée dans un contexte familial délicat où les policiers doivent faire preuve de tact, voire d'empathie, avec le jeune fils et la conjointe de Scoppa.

8h

Les policiers arrivent, gyrophares des deux véhicules [de police] en fonction, coup de klaxon. Porte avant verrouillée. Je sonne et crie «POLICE». Une dame accompagnée d'un enfant voit que nous sommes policiers et nous ouvre. J'explique le mandat et notre intervention. L'enfant est calme et ne pleure pas. La dame pleure. Je lui explique qu'il n'y a pas d'incident avec Andrew mais que nous avons un mandat pour fouiller. Nous parlons en anglais avec l'enfant, il est calme et il rit. La dame prépare le lunch du petit dans la cuisine et s'excuse. Je lui demande s'il y a un coffre-fort, elle dit qu'il y en a un dans la chambre à coucher. Elle me le montre, il est ouvert et vide. Elle pleure et me demande de dire à son fils qu'on vérifie beaucoup de maisons (dans le quartier). C'est ce que je fais. Le garçon est toujours de bonne humeur. Elle pleure et dit que ses parents ne savent pas ce que Andrew fait.

239

8h20

Elle se prépare à quitter avec son garçon dans un véhicule Hyundai qui a été fouillé préalablement dans le garage. Je lui dis que je l'appellerai dès qu'on aura terminé. Elle me remercie. Elle me demande ce qu'elle doit dire à Andrew. Je lui dis qu'elle peut l'aviser que nous avons un mandat [de perquisition] mais qu'il n'est pas arrêté. Elle dit qu'il est probablement au gym. Je lui dis que nous ne laisserons pas la maison en désordre. Avant de partir, elle me remercie.

Fouille avec K-9 [maître de chien].

- Fouille chambre des maîtres : sur la table de chevet, il y a une p hoto de famille dans un socle portant la mention : « Meilleur papa du monde ».

- Dans le tiroir du haut de la table de chevet, il y a un livre de Daniel Renaud, Cellule 8002 vs mafia ; dans le tiroir du bas, il y a le livre Business or Blood : mafia boss Vito Rizzuto's last war, d'Antonio Nicaso et Peter Edwards, et un exemplaire du *Journal de Montréal* du 12 mars 2016 dont le titre de la une est « L'agonie du clan Rizzuto ».

- 3,2 g marijuana dans la poche intérieure d'un veston dans le walk-in.

- Dans la cuisine : 50 billets de 100 $ enroulés dans une tasse à l'effigie de Pluto et attachés avec [un] élastique.

- Dans un bureau : une machine à déchiqueter pleine de papier.

- Des documents financiers, comptabilité, déclarations revenus, organigramme commercial avec inscriptions manuscrites sur une feuille 81/2 x 11.

- En 2014, Andrea Scoppa a déclaré des revenus de 51 146 $ et en 2015, de 52 256 $.

11h03

Je reçois un appel d'un homme qui s'identifie comme étant l'avocat Frank Pappas. Il me demande si Andrew Scoppa est visé par un mandat d'arrestation. Je lui dis : Pas à mon niveau, j'ai juste un mandat de perquisition. Il me demande pour combien de temps on en a. Une heure ou deux maximum. Il me remercie. Me Pappas me dit que si son client était recherché, il se rendrait.

12h50

Nous quittons la maison en attendant à l'extérieur. [La dame] est de retour. Je l'avise que nous avons saisi des items et parlé avec son avocat. Elle me remercie.

Extrait de l'article « Mafia : des chefs de clan tentent d'enterrer la hache de guerre », de Daniel Renaud, publié dans *La Presse*, le 27 janvier 2017 :

Plusieurs rencontres auraient eu lieu depuis la fin de l'automne dernier entre chefs de clan et individus influents liés aux mafias montréalaise et torontoise dans le but de mettre fin au conflit sanglant qui mine le crime organisé italien de la métropole québécoise depuis une dizaine d'années, a appris *La Presse*.

Ces efforts seraient toutefois hypothéqués, pour le moment du moins, par l'obstination des derniers résistants du clan des Siciliens, en particulier celui que la police considérait jusqu'à l'automne 2015 comme l'un des chefs de la mafia montréalaise, Stefano Sollecito.

Selon des sources policières et criminelles, il refuserait de céder certaines activités illicites, notamment le lucratif livre des paris sportifs, dont les revenus lui permettraient de continuer à livrer bataille et à financer certaines opérations. [...]

Mais depuis la fin de l'automne, les policiers ont observé à plusieurs reprises des individus liés à la mafia de Toronto venir à Montréal et participer à des rencontres. L'influent et indépendant chef de clan montréalais Andrew Scoppa aurait pris part à l'une d'elles en décembre dernier. [...]

Scoppa pourrait toutefois avoir une épée de Damoclès au-dessus de la tête. L'automne dernier, il a été arrêté par la Sûreté du Québec dans le cadre d'une importante saisie de cocaïne, mais n'a toujours pas été accusé.

Le 1er février suivant, moins d'une semaine après la parution de cet article, le jour n'est pas encore levé quand les enquêteurs de l'ERM appréhendent Andrew Scoppa à son domicile. Cette arrestation fait suite à l'analyse par un procureur de la poursuite du dossier d'enquête sur la drogue saisie à la Tour des Canadiens et à sa décision de déposer plusieurs accusations contre le chef intérimaire de la mafia montréalaise. Cette fois, Scoppa ne peut pas rentrer chez lui comme la première fois qu'on lui a passé les menottes, au mois d'octobre précédent. Il est questionné par les enquêteurs de l'ERM dans un poste de police avant d'être amené devant le tribunal pour y comparaître.

Nous avons consulté les notes que le sergent Jean-Luc Brisebois et le capitaine Benoît Dubé ont prises pour documenter cette étape de l'enquête. Ces documents judiciaires nous ouvrent la porte de la dernière salle d'interrogatoire de police où Andrew Scoppa a dû s'asseoir. Les policiers nous relatent ce qu'il s'y est dit, comme si nous y étions.

5h

Arrivée au [domicile de Scoppa]. Nous attendons que le sujet se présente à l'extérieur.

5h18

Nous apercevons le sujet avec sa conjointe dans le hall d'entrée de la résidence. Nous nous dirigeons à la résidence tandis que ce dernier sort de la maison. Nous retournons à l'intérieur de la résidence à la demande de M. Scoppa pour ne pas être vus de ses voisins. À l'intérieur avec ce dernier et sa conjointe qui est en pleurs, nous lui expliquons que tout se déroulera dans le respect. Andrew nous remercie et trouve ça correct. [Un enquêteur] lui exhibe le mandat d'arrestation en lui lisant que ce sont des chefs d'accusation de complot, de trafic de stupéfiants et de recel d'argent. Andrew dit qu'il comprend. Le sergent Robin lui lit ses droits et la mise en garde, le suspect dit qu'il peut lui lire en français et qu'il comprend. Il nous informe qu'il a déjà contacté son avocat et qu'il accepte de nous suivre. Dernière accolade à sa conjointe, fouille sommaire du suspect et de son manteau.

5h28

Nous sortons de la résidence avec le suspect, placé à l'arrière du véhicule et menotté à l'avant. Départ pour le quartier général de Mascouche [Sûreté du Québec]. En chemin nous parlons de sa femme, de son fils, de son entraînement. Le suspect indique que «les 100 kg c'est pas à lui!» à deux ou trois reprises. Il parle du milieu, dit qu'il ne fait rien, qu'il rencontre des gens.

6h35

Nous pénétrons dans le QG avec le détenu. Il demande à aller à la salle de bain. Retour de la salle de bain.

6h45

Il est placé dans la salle [d'interrogatoire], le sergent--détective Robin lui exhibe de nouveau le mandat d'arrestation en détail avec les accusations et les suspects. Il demande : « C'est qui Maxime Hébert ? » Lorsqu'il parle de Valiante, alias « Super », Scoppa ne dit rien. Il demande des éclaircissements pour les chefs [d'accusation], les dates, etc. La discussion se fait en français et en anglais. Lorsqu'on parle de complot, Scoppa dit : « Comment pourrais-je comploter ? » Le sergent Robin lui explique qu'il peut comploter sans toucher à la drogue. Scoppa indique : « Valiante, je le connais, Malatesta aussi, sûr à 200 %, mais pas Maxime Hébert. » Il dit qu'il veut parler à son avocat, Me Frank Pappas. On les laisse parler seuls. De retour dans la salle, suite de l'interrogatoire. Scoppa est calme. On lui demande où est Nick [Valiante], il dit d'aller voir au McDo sur le boulevard St-Jean.

7h13

Il nous réitère que les 100 kg ne sont pas à lui. Il mentionne des choses comme : « *I'm not an angel. I did a lot of things. When you want to help someone, that's what happens.* Les 100 kg, *that's not mine*. J'ai passé un polygraphe pour ça, vous le savez ! Avec ce test, le résultat était que ce n'est pas à moi, je ne suis pas responsable directement ou indirectement de ces kilos. »

Questionné sur la période du complot entre [le] 16 août 2016 et [le] 26 octobre 2016, il mentionne : « J'suis pas un ange, c'est sûr que je peux rien garantir pour cette période, mais le 26, les kilos c'est pas à moi. Ça je suis sûr à 200 % ! » Il demande à nouveau qui est Maxime Hébert, on lui répond qu'il est aussi arrêté pour les 100 kg. Il répond : « Ah oui, c'est le gars de la 13e Avenue. » Il ajoute : « Ça se peut que j'aie fait quelque chose pendant cette période, *you know what it is !* » Puis il répète : « Je suis comme ça moi, je veux aider beaucoup de monde et là ça m'amène avec les 100 kg. »

7h50

Le sergent-détective Robin lui remet un café et une pilule Ativan pour son anxiété. [...] Il lui explique les éléments dans le dossier, les techniques d'enquête que nous utilisons. Andrew répète qu'il n'a rien à voir avec les 100 kg. Il ajoute: «Je ne suis pas dans le trafic de drogue. Je ne fais que rencontrer du monde. Vous voulez que je vous dise? Moi je règle des problèmes. Je rencontre des gens de stups, de meurtres pour régler des problèmes!»

8h15

Le sergent-détective Robin lui explique qu'il est impliqué au niveau du crime organisé et qu'on l'appelle «L'Oncle» [«Uncle», en anglais] ou «Big Guy» dans le milieu. Il dit: «Vous ne comprenez pas. Je règle des problèmes, car je suis un gars qui aime la *peace*, j'veux pas que les gars se tuent!» On lui parle de filature et des sujets qu'il a rencontrés. Il dit: «Ben oui, je rencontre ces gars-là, mais c'est pas pour commander des meurtres, c'est pour régler des problèmes. Lorsque j'entends qu'un gars m'en veut ou veut me tuer, je vais le voir directement, je règle le problème, je fais face à la musique!» Andrew répète qu'il est «un gars de paix», qu'il ne commande pas des meurtres et ne cherche pas la violence. Il veut régler les problèmes, que ce soit avec son frère Sal qui ne l'écoute pas toujours, ou les autres. Il répète que s'ils l'écoutaient, ils ne seraient pas dans le trouble de même.

8h32

Il parle de territoire et de contrôle en disant qu'il n'en a plus, de territoire, ce n'est plus à lui, on lui a enlevé. À cet effet, le sergent-détective Robin parle de la conversation [que la police a enregistrée à l'insu de Scoppa et où il parle de Stefano Sollecito] au sujet de Sauce, qu'il ne l'a pas payé depuis cinq ans pour ça. À noter que lorsqu'on parle de Sauce, il nous indique qu'il ne l'aime pas pour plusieurs raisons. Il nous parle de son père Rocco qui n'avait pas le leadership pour prendre le rôle de Parrain. Il indique que Stefano voulait à tout prix la job de boss. Il indique qu'il aime le pouvoir mais il ne fait pas bien sa job de boss.

8h46

On discute du rôle de parrain, des familles mafieuses, des qualités pour l'être, etc. Andrew nous indique que Stefano n'est pas bon, car il paie « les gars de bicycle », mais ne règle pas les choses avec ses propres gars. Il ne les paie pas, ne les respecte pas. Il ne s'en cache pas et répète plusieurs fois qu'il ne l'aime pas. On discute de l'intelligence d'Andrew et du rôle qu'il pourrait jouer, de ses capacités à régler les conflits, etc. Andrew mentionne qu'il veut rencontrer des gens mais qu'il aime être *low profile*. Il ne veut pas les problèmes qui viennent avec ça. De toute façon, tous ses territoires lui ont été retirés. On parle de nouveau de sa façon de régler les conflits, qu'il est un gars honnête et qu'il donne l'heure juste à tout le monde lorsqu'il entend quelque chose sur lui ou son frère. Il va au-devant des coups et rencontre les personnes concernées. Il n'a jamais peur de rencontrer les gens pour régler des conflits avant que ça dégénère. Puis on parle de son implication dans le dossier. On lui exhibe certaines photos [Tour des Canadiens] en lui expliquant que c'est la preuve.

9h27

Nous effectuons la lecture d'extraits de conversation d'écoute [électronique] se trouvant dans la preuve. Andrew les commente, apporte certaines nuances et en minimise la portée en disant qu'on n'a pas le contexte et que ce n'est pas exact. Par exemple, la conversation de lui et Fazio pour les kilos. Lorsqu'on parle de prix (43-45 000 $) et de total de 73 kg, il dit qu'il posait des questions à Fazio mais que ça n'a rien à voir avec lui et qu'il n'en avait pas. Il mentionne : « Je ne fais que donner des conseils et mon opinion mais je n'ai rien à voir là-dedans. » Le sergent-détective Brisebois lui [fait remarquer] qu'il parle des bons prix sur le marché et de quantités et qu'on a découvert 111 kg dont 80 près de l'endroit où il se trouvait. Il répond qu'il n'est pas assez imbécile pour se trouver à l'endroit où se trouvent les kilos ! Il ajoute : « Lorsqu'on a été arrêtés ce jour-là [le 26 octobre 2016], j'ai dit à Fazio : "Tu faisais quoi avec ça, *bro*, voyons donc !" » Il dit qu'il le voyait mais que c'était pour pénétrer dans la Tour des Canadiens. Il avait besoin des accès de Fazio, c'est pour ça qu'il le voyait. « Je suis allé dans son appartement deux, trois fois. »

9h56

Puis la discussion se poursuit sur sa famille. [Il a grandi avec] une mère sans père et six enfants à s'occuper. Il nous parle de sa jeunesse et des délits qu'il devait commettre pour ramener de l'argent à la maison. Il parle de vols [intros par effraction] et des *bank robberies* dans sa jeunesse en disant : « J'ai décidé d'opter pour les banques et les bijoux, car eux, ils ont des assurances et je n'aimais pas voir les photos de famille dans les maisons [qu'il cambriolait], ça me dérangeait. »

10h05

On reparle du complot, il dit : « Si je mets un gars en contact avec un autre, est-ce que c'en est un ? » On lui dit que oui. C'est lui qui facilite le crime. Il dit : « Oui, mais je ne fais rien, je ne fais que les mettre en lien. » On lui parle de Magot-Mastiff, du rôle d'ACI [agent civil d'infiltration]...

Scoppa mentionne que ça, ce n'est pas pour lui, parce qu'il est un homme de parole et de principes.

10h31

Un café est remis à Andrew. Le sergent-détective Stéphane Robin lui offre de faire une déclaration écrite à l'effet que les 100 kg ne sont pas à lui et qu'il avait seulement rendu service. Andrew réplique : « Non, mon avocat m'a dit de ne rien dire et il ne veut pas que je fasse de déclaration. Il ne sera pas content si je le fais. »

10h50

Le capitaine Benoît Dubé et le lieutenant Maxime Tremblay veulent rencontrer Scoppa. Nous demeurons à l'extérieur.

10h58

Rencontre le sujet avec [le] lieutenant Tremblay pour éclaircir une info reçue à l'effet que le sujet aurait passé un message pouvant être perçu comme de l'intimidation à la cour à l'endroit du sergent-détective Stéphane Racine en lui disant de « faire attention à lui ». Le sujet mentionne qu'il ne veut [...] intimider personne et qu'il n'en veut à personne sauf à lui-même. Il nous informe qu'il n'est pas impliqué dans les 100 kg (et il en parle souvent). On lui dit qu'il est accusé de trafic et de complot et que lorsqu'il va voir la preuve, il va comprendre. Il parle d'un *bug* (micro) dans le condo à Fazio.

On l'informe que le *bug* était dans son véhicule. Il est très surpris. Il trouve que nous sommes bons.

11h30

Le sergent-détective Robin explique à Andrew qu'il enquêtait dans un dossier de double meurtre (commis en septembre 2013) et que le dossier suivait son cours. Andrew a demandé: «Avez-vous du *DNA* [ADN] là-dedans?» Le sergent Robin lui demande si on en avait besoin. Andrew répond: «Si vous avez pas de *DNA*, ça va vous prendre deux témoins!» Il ajoute: «Ah! Vous enquêtez sur les frères Scoppa!»

12h26

On lui donne son dîner (pointe de pizza et liqueur). Le sergent Brisebois lui exhibe des photos de l'argent saisi dans l'appartement 4213. Andrew dit que le 55 000$ est de l'argent *legit* et qu'il va en faire la preuve. Il demande si on le croit que les 100 kg ne sont pas à lui. Il ajoute que Fazio sait à qui appartiennent les kilos et que lui le sait aussi mais qu'il ne veut pas le dire.

12h48

Scoppa indique qu'il veut se retirer, qu'il a eu assez de problèmes comme ça. Il ne veut pas aller faire 10 ans [de prison] pour quelque chose qui n'est pas à lui. Il répète que les apparences sont contre lui mais sans donner plus de détails. Il ajoute: «Ce ne sera pas beau sur la rue dans les prochains temps.» On parle de parrains en devenir tels que Mirarchi, Mucci ou autre. Scoppa indique que ça va brasser dans la rue. Il ne semble pas rassuré sur le choix d'un individu en particulier [comme chef]. Il dit qu'il connaît plusieurs policiers. On lui donne des explications sur sa comparution en après-midi et qu'il aura copie de la divulgation de la preuve dans les prochains jours. Il nous demande de parler avec l'enquêteur au dossier pour «tenter» de trouver un compromis. On quitte le QG. Il dit qu'il n'est pas heureux d'aller en prison.

Le 11 mai 2018, dans l'avant-midi, soit 15 mois après cet interrogatoire, coup de théâtre au palais de justice de Montréal: Andrew Scoppa est libéré des accusations qui pesaient sur lui dans le projet d'enquête Estacade, sans même avoir été jugé.

Étonnamment, ce sont les procureurs de la poursuite qui ont eux-mêmes demandé au tribunal de décréter l'arrêt des procédures contre le chef mafieux, sans pour autant donner d'explications sur les motifs de leur décision, rapporte le chroniqueur judiciaire Michaël Nguyen dans *Le Journal de Montréal*:

Andrea Scoppa, qui était en détention préventive, a immédiatement été démenotté et libéré du box des accusés, au palais de justice de Montréal. Il a ainsi pu quitter l'édifice par les grandes portes, plutôt que par fourgon policier.

«Cette décision-là est prise dans un souci de saine administration de la justice, en considérant les droits constitutionnels de l'accusé, a expliqué le porte-parole du Directeur des poursuites criminelles et pénales, Jean-Pascal Boucher. C'est un pouvoir discrétionnaire utilisé avec parcimonie, on ne peut pas en dire davantage.»

La juge Sophie Bourque n'a eu d'autre choix que d'en prendre acte et de libérer les accusés. Selon nos informations, cette décision serait liée à des éléments de preuve que la Couronne aurait dû divulguer à la défense si la Couronne avait continué les procédures.

Scoppa, 54 ans, était accusé de trafic de drogue, tout comme ses coaccusés Fazio Malatesta et Nicola Valiante. Les deux hommes de 49 et 41 ans ont également eu droit au même traitement, vendredi.

Selon notre Bureau d'enquête, lors d'une perquisition dans la Tour des Canadiens, les policiers ont trouvé 65 kg de cocaïne d'une valeur de 3,5 M$ dans un véhicule garé dans le stationnement intérieur, ainsi que de l'argent comptant et du cannabis.

Ce que les procureurs de la poursuite n'expliquent pas publiquement ce jour-là, c'est que, selon nos sources, Andrew Scoppa a agi de façon «informelle» comme informateur de plusieurs policiers ou ex-policiers pendant de nombreuses années. Ces derniers, qui étaient membres d'au moins deux services de police autres que la Sûreté du Québec, faisaient aussi partie de la même escouade qui a mené cette enquête antidrogue. Ces jeux de coulisses et ces tractations impliquant Scoppa devaient rester secrets, car c'était une véritable boîte de Pandore pour la Couronne ainsi qu'un obstacle de taille pour la suite des procédures judiciaires. La poursuite s'est donc résignée à sacrifier ces résultats du projet Estacade et à laisser le chef mafieux s'en tirer.

CHAPITRE 16
LA SOURCE

**Au fil des années, j'ai appris qu'Andrew
parlait à un bassin d'au moins cinq policiers,
peut-être plus. Il leur donnait des informations
utiles pour qu'ils aillent voir leur patron
en disant : «Tu sais pas ce que j'ai su?»**

O n peut aussi penser qu'il «donnait» une couple de
kilos de drogue de temps en temps en disant: «Va
saisir un kilo là, un autre là», pour se faire sacrer
patience et être un informateur qui donne des résultats.
Peut-être même aussi pour tenter de leur soutirer des renseignements par le fait même. Dans l'idée de devenir à ce
point indispensable pour ces policiers que s'ils ont à enquêter
sur ses concurrents ou sur lui, ils vont choisir ses concurrents.
Parce que lui, il parle.

Je pense que cela explique aussi que son nom se soit retrouvé
sur la liste des sources dérobées par Ian Davidson, ce policier surnommé «la taupe du SPVM» il y a quelques années
pour avoir tenté de vendre au crime organisé une liste des

sources confidentielles qui collaboraient avec la police de Montréal. Le nom d'Andrew ne devait pas se retrouver sur cette liste parce qu'il avait une relation informelle – *off the books* – avec les policiers. Mais je pense qu'un policier l'a finalement «codé» et ça n'a pas aidé sa carrière. Andrew pensait avoir aidé celui qui l'a «codé» après la saisie d'une cargaison d'armes au centre-ville, comme il pensait en avoir aidé d'autres pour autre chose.

J'ai la conviction profonde que ce personnage-là ne faisait jamais rien pour rien. Qu'il calculait tous ses coups et toutes ses actions. Pour quatre raisons : la première, rester en vie ; la deuxième, ne pas aller en prison ; la troisième, continuer de faire de l'argent ; et la quatrième, protéger sa famille. Pour lui, c'était comme une manière de garder le contrôle.

« Ça s'est retourné contre les flics parce que tous les accusés dans le projet Estacade ou presque ont été libérés, nous raconte Scoppa d'un air triomphant. J'ai réussi à passer un test du polygraphe avec un ex-polygraphiste de la police qui démontrait que j'étais innocent. Le juge l'a pris en considération d'ailleurs. C'était des procédures abusives des représentants de l'État. Alors ça s'est terminé en arrêt des procédures. Même pour le gars qui s'est fait pincer avec 80 kg [de coke] dans son char [Fazio Malatesta] et pour l'autre pris avec 30 kg chez lui [Maxime Hébert]. C'est fort, hein ? Ils ont saisi 111 kg de poudre mais tout le monde a été blanchi. Parce que les flics ont tout manigancé pour mettre ce complot sur mon dos. Je connaissais ces gars-là, mais j'avais rien à voir là-dedans…»

Refusant de nous confirmer que sa libération est attribuable à ses années de confidences secrètes à des policiers, Andrew préfère louer le travail de ses avocats et décrier celui de l'escouade qui a mené l'enquête. Il admet avoir déjà parlé avec des enquêteurs qui ont communiqué avec lui, il y a longtemps. Comme le sergent-détective Pietro Poletti, longtemps chargé de surveiller le crime organisé italien durant sa carrière à la police de Montréal. Et parfois même autour d'un verre. Mais « jamais » comme informateur.

« *Fuckin'* Poletti... Il était toujours après moi. Il me cassait les couilles. Mais il est plutôt comique... Il m'a déjà appelé pour me demander: "Hey, Andrew, dis-moi juste où on peut trouver les cadavres, c'est tout. Inquiète-toi pas..." Hahaha! "Veux-tu que j'aille les déposer sur René-Lévesque? Aimerais-tu avoir les revolvers qui ont servi à les tirer aussi?..." Si je savais où sont les foutus cadavres, c'est assez évident que j'aurais quelque chose à voir avec ces meurtres, non? Sinon, comment je serais supposé de savoir ça? Et puis, pourquoi tu voudrais trouver les corps? Les gars sont morts... » Scoppa nous tient le même discours à propos de l'ex-enquêteur vedette du SPVM, Philippe Paul, qu'il ne portait pas dans son cœur.

Avec un sourire en coin, il nous avoue qu'il se souvient « très bien » de l'affaire Ian Davidson, l'ex-policier à l'origine d'un scandale qui a éclaboussé le SPVM en 2012. Sergent-détective spécialiste du renseignement criminel, Davidson était parti à la retraite en janvier 2011, après 33 ans de service, en emportant avec lui une copie de la liste des sources confidentielles qui collaboraient avec la police de Montréal. Cette liste, il avait ensuite tenté de la vendre à des gens du crime organisé. En 2014, notre Bureau d'enquête a d'ailleurs révélé que l'ampleur de cette fuite était beaucoup plus importante que ce que l'état-major du SPVM avait admis à l'époque. Selon des documents policiers, Davidson avait volé non seulement une liste, mais aussi des fiches complètes de sources confidentielles actives (1500 personnes) et inactives (10 500 personnes), incluant noms, photos, numéros de sources codées et noms des policiers contrôleurs, ainsi que toutes les informations transmises par ces sources confidentielles. En outre, la mafia italienne connaissait le nombre exact d'informateurs de police dans ses rangs, soit « 123 rats ».

L'article intitulé « Le policier ripou Ian Davidson avait plus d'informations secrètes que ce que la police a reconnu », publié dans *Le Journal de Montréal* le 1er octobre 2014, rappelle notamment les faits suivants :

Le 21 mars 2011, le sergent-détective Philippe Paul est informé par une source confidentielle qu'il y aura une réunion au bureau de l'avocat criminaliste Claude Olivier. On dit au policier qu'un individu aurait des informations qui pourraient faire acquitter le mafieux Tony Mucci. L'individu chercherait à obtenir 1 million de dollars pour ses informations.

Le 21 mars 2011, Ian Davidson est vu dans les bureaux de Me Olivier quelques minutes avant que Tony Mucci et un deuxième homme ne quittent le même immeuble.

Le 5 avril 2011, le SPVM apprend que le mafieux Moreno Gallo et un deuxième homme de l'île Bizard ont en leur possession des documents policiers montrant le logo de la Ville de Montréal, une photo d'une source policière, le nom du policier contrôleur de cette source.

Entre le 16 et le 23 mai 2011, [Giuseppe] De Vito, un chef mafieux qui était à ce moment incarcéré au pénitencier de Donnacona, près de Québec (et en possession d'un cellulaire illégal), est informé par Alessandro Succapane (un autre mafieux) que la police de Montréal avait « 123 rats » qui lui donnaient des informations sur la mafia. Succapane a partagé cela avec De Vito par messages textes. Succapane mentionne avoir aussi en sa possession des documents policiers où il est question d'informations transmises par ces « rats » et du montant d'argent que les informateurs ont reçu.

Le 12 septembre 2011, des policiers du SPVM (les sergents-détectives Philippe Paul et Alain Gaudreault) rencontrent le mafieux Tony Mucci à sa résidence de Boucherville pour l'aviser qu'il est la cible d'un complot de meurtre.

Durant la rencontre, Mucci déclare aux policiers qu'il y aurait une grande fuite à l'intérieur du SPVM qui aurait l'effet d'une «bombe atomique» si elle se trouvait entre les mains du crime organisé. Mucci, qui est devant les tribunaux pour des accusations de possession d'armes illégales, se dit prêt à donner des détails qui permettraient de colmater cette brèche en échange d'une accusation qui n'impliquerait pas de peine d'emprisonnement, selon les documents.

Le 12 septembre 2011, un autre informateur de police mentionne au sergent-détective Nic Milano qu'un individu tente de vendre des informations privilégiées sur l'identité des sources policières aux motards criminalisés, au crime organisé italien, au crime organisé asiatique et aux membres du [g]ang de l'Ouest, [la pègre] des Irlandais de Montréal.

Le 19 septembre 2011, le caporal Alain Richer saisit l'ordinateur de bureau de Davidson au SPVM.

Le 22 septembre 2011, l'analyse de cet ordinateur IBM révèle que la liste complète de toutes les sources actives du SPVM avait été copiée dans un dossier temporaire sur un site internet. Davidson a réussi à subtiliser les informations avant de prendre sa retraite le 28 janvier 2011.

Le 8 octobre 2011, Ian Davidson est arrêté à l'aéroport de Montréal (où il devait prendre un vol en direction du Costa Rica avec sa conjointe).

L'affaire est finalement médiatisée le 17 janvier 2012. Davidson s'est alors loué une chambre avec sa femme à l'hôtel Châteauneuf, à Laval, pour éviter le «cirque médiatique» qui va suivre, d'après le rapport du coroner Michel Ferland. «Le 18 janvier 2012, vers 7 h 30, sa conjointe reçoit un appel l'informant que le nom de M. Ian Davidson est mentionné dans le journal, relate le coroner. [Davidson] ne sursaute pas. Elle quitte vers 7 h 55. Il est alors seul à la chambre d'hôtel. Vers 8 h 20, elle reçoit un message texte de M. Davidson l'avisant que c'est la fin. [...] Sur la porte de la salle de bain, il y a une note disant de contacter le 9-1-1 parce qu'il avait mis fin à ses jours. [Les policiers] le trouvent dans la baignoire, gisant dans une mare de sang et une arme tranchante repose près de lui. Vers 9 h 05, les ambulanciers sont [à son] chevet. [...] Aucune manœuvre [de réanimation] n'est faite [et le décès est vite constaté par un médecin]. Ian Davidson était dans une situation qui, pour lui, devait être intenable après toutes ces années comme policier [...] et il a choisi d'en finir avec la vie.»

Trois ans plus tard, le 14 janvier 2015, Tony Mucci est libéré des accusations de possession illégale d'armes qui pèsent sur lui depuis plus de quatre ans, à la demande même de la poursuite. En août 2010, les policiers avaient saisi un fusil à canon tronqué, un pistolet électrique de type Taser et une bonbonne de répulsif à ours, dans le véhicule blindé et la résidence du mafioso de 60 ans. Son arrestation avait été pilotée par l'enquêteur Philippe Paul, parti prématurément à la retraite au printemps 2014, alors que le SPVM ouvre une enquête interne à son sujet.

Une semaine après l'abandon des accusations contre Mucci, Philippe Paul réagit à des propos de l'avocat de Mucci laissant entendre qu'il aurait «inventé» des sources pour justifier une intervention dans cette affaire. «Je n'ai jamais inventé de sources», insiste l'ex-enquêteur lors d'une entrevue avec notre Bureau d'enquête le 20 janvier 2015. «Avec toutes les informations que j'ai en ma possession, j'étais devenu un policier gênant, autant pour le crime organisé, que j'ai déstabilisé à plusieurs reprises en arrêtant plusieurs caïds de haut rang, que pour la police.» Il n'hésite pas à clamer qu'il y aurait des policiers corrompus à Montréal, qui «frayent malheureusement avec les hautes sphères du crime organisé».

Retour trois ans en arrière: en 2012, les médias rapportent que, dans l'espoir de susciter son intérêt pour les informations confidentielles qu'il propose de lui vendre pour 1 million de dollars, Davidson aurait exhibé à Tony Mucci quatre noms figurant parmi les centaines d'informateurs fichés par le SPVM. Parmi ces quatre noms, il y a celui d'Andrew Scoppa.

« J'étais sur la liste d'informateurs que Davidson a volée au SPVM parce que Philippe Paul a mis mon nom dessus après m'avoir questionné sur Tony Mucci, nous confie Andrew. C'était dans le temps que Mucci se promenait toujours avec ses deux gardes du corps dans son véhicule blindé et qu'il s'était fait arrêter avec des armes prohibées. Paul m'a questionné là-dessus, j'ai répondu que je ne le savais pas et il m'a identifié comme une source ! C'est pour ça que je suis en maudit après lui depuis ce temps-là. Il a mis ma vie en danger en disant faussement à qui voulait l'entendre que j'étais une de ses sources.

« Mucci a refusé d'acheter la liste que Davidson lui a offerte parce qu'il était sûr que la police lui tendait un piège et que c'était une ruse. Cet idiot avait une liste de 2000 noms de sources qu'il offrait pour 1 million de dollars ! Est-ce que moi, je l'aurais achetée ? Tu parles. Évidemment que je l'aurais achetée. Au lieu de ça, Mucci a dénoncé Davidson à la police et il s'est servi de cette histoire de liste pour négocier l'abandon des accusations de possession illégale d'armes qui pesaient sur lui.

« Les gens dans le milieu étaient en colère contre Mucci. Parce qu'il aurait pu mettre la main sur cette foutue liste. Il y en a plusieurs qui auraient mis 100 000 $ ou 200 000 $ de leur poche dans un pot pour aider à l'acheter. Les motards n'étaient pas contents non plus.

«Dans le milieu, les gens m'évitaient quand l'histoire est sortie parce que ça s'est dit que mon nom était sur la liste. Tony Suzuki est venu me voir et m'a dit "Hey! Ton nom est sur la liste." Alors je lui ai répondu: "OK, parfait, alors je veux l'acheter cette fameuse liste." Parce que je veux savoir qui sont les autres.

«D'ailleurs, il y en a plusieurs qui capotaient quand la nouvelle est sortie. Plusieurs avaient une drôle de face quand on parlait de ça. Ils étaient mal à l'aise. Comme s'ils étaient sur la liste eux aussi. Est-ce que Vito était dessus? Je ne sais pas. Il y a eu des rumeurs... J'ai entendu d'autres noms...

«Ça aurait pu être désastreux si la liste était tombée aux mains du crime organisé. Le problème, c'est que personne n'aurait pu avoir la certitude que les personnes dont les noms étaient sur cette liste étaient bel et bien des informateurs ou non. Parce que les policiers mentent. Alors ça aurait causé toute une paranoïa dans le milieu. Est-ce qu'un tel est vraiment un "rat"? Tout le monde serait devenu suspicieux.

«C'est vrai que la police a réussi à recruter très peu de délateurs issus du crime organisé traditionnel italien à Montréal, contrairement à ce qui est souvent arrivé à New York ou encore avec les motards ici. C'est peut-être parce que le monde ici aimait tellement Vito [Rizzuto] et que personne ne voulait témoigner contre lui.

«Ici, les policiers sont stupides et la justice n'est pas aussi sévère qu'aux États-Unis. Là-bas, tu fais du vrai temps en prison. Ils exercent une pression terrible sur toi et ta famille pour que tu te mettes à table et que tu leur vendes tes complices. Comme Joe Massino, qui a fini par craquer. Ils ont mis le Revenu sur son dos et l'ont menacé de jeter sa famille à la rue s'il refusait de collaborer. Pour qu'un criminel accepte de collaborer avec les autorités, tu dois détruire sa zone de confort. Tu dois le menacer de tout lui enlever, à commencer par sa famille. Il faut que tu appliques la pression là où ça fait mal. Aux États, ils savent à quel point les Italiens sont fiers de leur famille. C'est leur point faible.

«Les délateurs... Ce sont les pires "rats" qui existent. Comme Boulanger [l'ex-Hells Angels devenu délateur de l'opération SharQc]. Il a admis à la SQ avoir tué deux personnes mais pas de problème, on te donne 3 millions de dollars, on ne t'accusera de rien et tu ne feras pas de prison... Pensez-vous vraiment que c'est juste?

«Les informateurs de police, ce sont des "rats" eux aussi. Ils devraient être éliminés...»

CHAPITRE 17
LA FIN APPROCHE

L'idée d'écrire un livre nous avait déjà effleurés, mais Andrew finissait toujours par la repousser. Dès le milieu de l'année 2015, son comportement avait commencé à changer lors de nos rencontres. Il devenait très agité, très anxieux. Il faisait allusion à ses problèmes de sommeil. Il disait qu'il devait parfois prendre plusieurs pilules pour dormir, en plus de fumer du *pot*. Et que malgré tout il ne parvenait pas à dormir. « Je me réveille en sueur la nuit, disait-il, je pense qu'il y a quelqu'un qui en train de me tuer, je vois la mort venir me chercher. » Ce n'était pas une peur irrationnelle.

L'année suivante, nous avons presque cessé de nous rencontrer. Après son arrestation, il m'a appelé alors qu'il était en prison. Il voulait s'assurer que je ne parle pas de notre relation pendant qu'il était détenu. Après, on ne s'est plus reparlé, même après sa libération, en mai 2018. Jusqu'en octobre 2018, après que j'ai été menacé par Francesco Del Balso. Je suis alors revenu vers Andrew pour lui demander ses conseils et voir s'il n'y aurait pas moyen de parler à Del Balso pour lui dire d'arrêter de niaiser. Étonnamment, Andrew m'a dit que j'avais bien fait de porter plainte contre Del Balso. Il m'a dit de ne pas m'occuper de Del Balso, que celui-ci avait fait rire de lui en me menaçant. «*Everybody is laughing at him.*» C'est là qu'il m'a donné en cadeau une bouteille de vin, la sorte préférée de Vito. J'étais très stressé et sur mes gardes quand je l'ai rencontré. Nos contacts étaient alors très intermittents.

Arrive 2019. Son frère Salvatore se fait tuer au début du mois de mai, et je décide alors de reprendre contact avec Andrew quelques jours plus tard. Ce projet de livre qu'il repoussait tout le temps, serait-il finalement prêt à le faire? Je l'ai relancé et il a rapidement dit oui. Il jugeait Sollecito responsable de la situation dans laquelle il était. Il l'a accusé de quelques meurtres devant nous. Il pestait de sa grosse voix creuse: «*Those fucking guys!*» Il les détestait. Il voulait régler ses comptes. C'est un peu ce qui l'a amené vers moi et vers nous, vers le projet de livre. Il considérait que Stefano Sollecito et sa gang étaient des gens sans honneur ni loyauté.

Andrew accepte alors qu'Eric arrive dans le portrait, et nous nous rencontrons à quelques reprises à Dollard-des-Ormeaux, près du boulevard des Sources, dans un parc. Et là, boom! Après l'enquête Estacade de 2017 survient l'opération Préméditer, le 16 octobre 2019. La Sûreté du Québec nous informe que notre présence est requise le jour de la conférence de presse où sont annoncées plusieurs arrestations dans le clan Scoppa. Et là, on se fait dire que les policiers m'ont encore sur des filatures d'Andrew Scoppa, mais cette fois, avec Eric. «Félix, t'as absolument rien compris! Et qu'est-ce que Thibault vient faire là-dedans? Vous n'avez pas l'air de comprendre dans quoi vous vous êtes embarqués.»

Les doutes qui pesaient sur moi s'étaient estompés après l'enquête Estacade, mais ils ont été réactivés à la deuxième filature, m'ont alors confirmé les inspecteurs Benoît Dubé et Guy Lapointe. J'ai trouvé ça très difficile. Mais je pense que ce projet de livre en valait la peine.

Ce jour-là, Andrew Scoppa n'a pas été arrêté. Les policiers nous ont rappelé qu'il serait plus prudent de nous abstenir de le revoir. Que la tension avait monté d'un cran autour de lui depuis le meurtre de son frère et qu'elle allait s'accentuer durant les prochains jours avec les arrestations des présumés complices de Salvatore Scoppa dans l'opération Préméditer.

Pour tout dire, nous avons mis nos vies en danger. Il n'y a pas de preuve que nous ayons vraiment été en danger, mais nous savons que si un tueur était arrivé pour abattre Andrew pendant une de nos rencontres, il nous aurait abattus nous aussi. Les policiers nous l'ont dit. Pour autant, je n'ai pas hésité une seconde à aller le rencontrer. C'est l'inexplicable quête journalistique qui fait prendre parfois des chemins plus risqués pour atteindre l'objectif qu'on poursuit depuis des années. C'est peut-être difficile à comprendre pour le public, mais on dirait que la notion du risque disparaît quand on est conscient de la qualité du matériel qu'on peut découvrir, quand on sent que c'est une occasion unique qui se présente, que cela peut avoir une importance incalculable dans une vie de journaliste. On commence à avoir une vision tunnel des risques inhérents à la situation. Nous avions juste une chance pour que ça marche. Et elle était là. Alors on se dit «*All in*». On y va. «*All in.*»

En termes de poker, on ne peut pas dire qu'Andrew Scoppa détient une main gagnante quand il redevient un homme libre au printemps 2018. Parce qu'autour de la table des joueurs de la mafia, il retrouve son principal adversaire, celui qui ne fait plus confiance aux frères Scoppa parce qu'il les soupçonne de parler à la police. Trois mois avant Scoppa, «Steve Sauce» est lui aussi sorti de prison.

Le 19 février 2018, le juge Eric Downs a donné raison aux avocats de Stefano Sollecito et de Leonardo Rizzuto, qui plaidaient que la preuve d'écoute électronique incriminant les deux leaders du clan Rizzuto dans le projet d'enquête Magot avait été recueillie illégalement par les policiers. Le juge a donc acquitté Sollecito et Rizzuto des accusations de gangstérisme et de complot qui pesaient sur eux depuis plus de deux ans.

Les enquêteurs avaient pourtant obtenu l'aval d'un juge pour épier les suspects, qui tenaient des réunions de *business* dans la salle de conférence d'un bureau d'avocats, ce qui constituait une première au Canada. Les deux piliers de la mafia montréalaise avaient été enregistrés à leur insu dans le bureau de Me Loris Cavaliere lors de leur fameuse réunion du 20 août 2015 où il avait notamment été question de la possibilité d'éliminer Salvatore Scoppa.

Toutefois, le juge Downs a conclu que «les agents de l'État» avaient «priorisé» leur enquête au détriment du secret professionnel protégeant les conversations privées entre les avocats et leurs clients.

D'après le magistrat, l'exécution de ce moyen d'enquête a été «défaillante, voire négligente». Elle a mené à un «cumul de violations» de droits constitutionnels des requérants et de «tiers innocents», soit d'autres avocats du même cabinet et leurs clients qui n'auraient pas dû être épiés.

Dans sa décision, le juge Downs relate qu'une série de défaillances technologiques récurrentes, comme des pannes de serveur informatique et des problèmes de caméras de surveillance, a contribué à vicier l'enquête policière dont Sollecito et Rizzuto étaient les cibles.

L'Escouade régionale mixte de lutte contre le crime organisé soupçonnait Me Cavaliere, avocat de longue date du clan Rizzuto, d'agir comme facilitateur pour diverses organisations criminelles. Mais Leonardo Rizzuto était aussi avocat au cabinet Cavaliere et Associés, sur le boulevard Saint-Laurent, et Stefano Sollecito en était un client.

Pour dissimuler des caméras et des micros, les policiers ont dû effectuer pas moins de sept entrées subreptices dans l'immeuble, non seulement pour y installer leur matériel électronique, mais aussi pour tenter de le réparer. Ces opérations clandestines risquées ont souvent été menées en pleine nuit, et toujours quand les lieux étaient déserts.

La caméra vidéo posée dans la salle de conférence du cabinet - où l'on soupçonnait les mafiosi de tenir des réunions d'affaires avec leurs associés - a commencé à flancher quelques jours après son installation, à la fin août 2014. Selon le témoignage d'un officier de la GRC, le problème était lié à «la transmission du signal» entre cette caméra et le serveur informatique de la centrale de surveillance policière. Quant à la caméra installée dans l'aire de réception, «elle s'est complètement figée du 20 janvier 2015 au 4 novembre 2015» et s'est avérée inutile.

De plus, la caméra installée à l'extérieur de l'immeuble et servant à «aviser la salle de contrôle que des cibles pénétraient» dans le cabinet a aussi connu des ratés.

«Certains équipements ont été remplacés et des efforts ont été déployés dans le but de tenter de résoudre les problèmes à distance [...] mais les caméras ont continué à avoir des problèmes qui n'ont pas pu être résolus», a relaté le juge Downs.

Pour ne pas risquer de se faire surprendre dans le bureau et de compromettre toute l'opération, l'escouade a renoncé à tenter de solutionner ces bogues. Trahis par la technologie et privés d'images à l'intérieur des lieux, les policiers se sont retrouvés dans l'incapacité d'épier uniquement les mafieux. C'est pourquoi ils ont procédé «à l'aveugle», enregistrant d'autres avocats et leurs clients, qui n'étaient pas suspects et dont les conversations relevaient du secret professionnel.

«Malgré leur bonne foi, les acteurs impliqués dans la surveillance ont fait preuve d'une prudence insuffisante, a donc estimé le juge Downs. [...] La salle de réception et la salle de conférence étaient des lieux fréquentés par d'autres avocats et leurs clients. Ces derniers avaient le droit d'être pleinement protégés d'intrusions de l'État. [...] Vu le statut d'avocat de Rizzuto et celui de client de Sollecito, l'intérêt de la société milite en faveur de la protection du privilège avocat-client dans l'enceinte du cabinet d'avocats [...].»

Le jour du verdict, la criminaliste Danièle Roy, qui défendait Stefano Sollecito, a déclaré au *Journal de Montréal*: «Un bureau d'avocats est un sanctuaire et on n'y entre pas comme dans un entrepôt.» Neuf mois plus tôt, elle s'était plainte des délais judiciaires dans le dossier de son client, en rappelant en pleine salle de cour que M. Sollecito luttait contre un cancer.

«Compte tenu de son état de santé, mon client réclame le droit d'être acquitté avant de mourir. Il n'a pas le luxe d'attendre», avait tonné l'avocate d'expérience en demandant la tenue d'un procès le plus tôt possible.

Les frères Scoppa «n'avaient pas du tout prévu cela», nous a confié une source bien branchée en faisant référence à l'acquittement et à la libération de Sollecito et de Rizzuto : ils croyaient qu'ils partiraient à l'ombre pour y purger de longues peines.

La suite des événements semble tirée d'un scénario typique de film hollywoodien sur la mafia.

Le 28 juin 2018, le clan Scoppa subit sa première attaque : Steve «The Jew» Obadia, l'ex-bras droit d'Andrew Scoppa, est liquidé par des pros en un rien de temps, à Laval. Embusqué dans le stationnement d'un petit centre commercial du boulevard Samson, un tireur a attendu que la victime s'installe dans son VUS avant de faire feu à au moins trois reprises, l'atteignant mortellement à la tête. Le tout a pris moins de 40 secondes selon une vidéo de surveillance consultée par des collègues du *Journal de Montréal*.

Puis, c'est au tour de Salvatore Scoppa de tomber sous les balles. Celui qu'on surnommait «Mental» dans le monde interlope avait survécu à une première tentative de meurtre, le 22 février 2017, alors que son frère Andrew était détenu depuis à peine trois semaines après son arrestation dans l'opération Estacade. Pris pour cible par un tireur dans le stationnement d'un restaurant de la montée des Pionniers, à Terrebonne, vers 20 h 30, «Sal» Scoppa s'en était tiré avec une blessure à un bras et avait été transporté à l'hôpital pour y recevoir des soins. Le directeur adjoint de la police de Terrebonne, Sylvain Théorêt, avait déclaré à l'Agence QMI que le blessé collaborait «peu» avec les enquêteurs.

Mais le soir du 4 mai 2019, ses assaillants ne lui laissent aucune chance de s'en sortir, comme le relatent notre Bureau d'enquête, TVA Nouvelles et *Le Journal*:

Des éclats de verre, des cris, des pleurs, puis la panique. Le tireur qui a abattu le mafieux d'origine calabraise Salvatore Scoppa durant la fête de première communion d'un de ses enfants au Sheraton de Laval a semé le chaos sur son passage.

Félix Séguin, de notre Bureau d'enquête, a eu accès à des images exclusives captées dans les minutes qui ont suivi cet assassinat qui a toutes les apparences d'un règlement de comptes.

Sans garde du corps, sans veste pare-balles, Scoppa, 49 ans, vivait dans le crime, mais ne semblait pas redouter ses ennemis en ce jour de fête, d'après les informations de notre journaliste. Sa famille et tous ses invités devaient se méfier encore moins que lui.

L'irruption du tireur, qui a vidé deux chargeurs et tiré le mafieux à la tête et au thorax, alors que l'atmosphère était aux réjouissances, a provoqué la commotion totale. Des images captées par un cellulaire en témoignent.

Des chaises sont renversées, les adultes sortent en vitesse les enfants de l'hôtel, des invités se barricadent à l'étage, hurlent, tournent en rond, ne savent pas quoi faire. Une femme crie: «Oh, mon Dieu!»

Salvatore Scoppa a été abattu devant ses enfants. Transie par le choc, son épouse se couche sur son corps inerte. Les secours arrivent sur place. On voit même un agent du Service de police de la Ville de Laval faire un massage cardiaque à la victime. Le mafieux ne survivra pas à ses blessures.

Le redoutable mafioso pourrait avoir été trahi par un membre de sa garde rapprochée qui l'a invité à fumer dehors juste avant d'être la cible d'un tireur.

La thèse voulant que le caïd ait été victime d'une telle ruse, dans la plus pure tradition des règlements de comptes de la mafia italienne, serait sérieusement envisagée par les forces policières selon des sources de notre Bureau d'enquête et du *Journal*.

Le soir du 4 mai, «Sal» Scoppa participait à une fête familiale pour la première communion d'un de ses enfants, à l'hôtel Sheraton de Laval.

D'autres réceptions regroupant quelques centaines de personnes s'y tenaient simultanément.

Il fallait donc faire sortir ce dangereux mafieux pour faciliter la tâche du tueur armé.

À 22 heures précises, Scoppa est apparu dans le portique de l'hôtel pour aller fumer une cigarette en compagnie d'un employé qu'il considérait aussi comme un ami, selon nos informations.

Au même moment, le tireur s'est approché et a fait feu en direction de sa cible prise par surprise, l'atteignant une première fois, tout en ignorant «l'ami» à ses côtés.

Pendant que ce dernier restait à l'entrée comme s'il faisait le guet, le tireur entrait dans l'hôtel en pourchassant Scoppa pour l'achever.

L'assassin a vidé deux chargeurs, atteignant la victime de plusieurs projectiles au thorax et à la tête avant de s'enfuir à bord d'un Ford Explorer noir conduit par un complice.

Selon nos sources, «l'ami» en question aurait donné des versions contradictoires aux policiers lorsqu'ils l'ont questionné à titre de témoin oculaire du meurtre.

De plus, nos sources affirment que ce témoin aurait déjà travaillé au sein du clan Rizzuto, qui était à couteaux tirés avec Scoppa.

Comme *Le Journal* le rapportait il y a un mois, Scoppa était considéré par la police comme le principal suspect de l'assassinat de Rocco Sollecito, dont le fils Stefano est l'un des leaders du clan Rizzuto, ainsi que de ceux de Lorenzo Giordano et de Vincenzo Spagnolo, deux autres proches du clan Rizzuto qui ont tous été tués en 2016 à Laval.

Le 23 septembre 2019, quatre mois après le meurtre de Salvatore Scoppa et quatre semaines après les révélations qu'Andrew nous a livrées en Espagne, *La Presse* publie une mise à jour du nouvel état des forces dans le crime organisé au Québec: «Les Hells Angels ont le contrôle au Québec mais également à Montréal. Ce qu'on réalise, c'est que toutes les autres souches du crime organisé rendent des comptes aux Hells Angels», affirme l'inspecteur-chef Guy Lapointe, patron des communications à la Sûreté du Québec, l'organisation policière qui détient le mandat de la lutte contre les motards dans la province.

«Le clan des Siciliens [...] serait encore le plus influent de la mafia montréalaise. Vito Salvaggio, Leonardo Rizzuto, Nicola Spagnolo, Liborio Cuntrera et Stefano Sollecito seraient toujours associés au clan, selon nos sources», écrit le journaliste Daniel Renaud, avançant que «le clan des Siciliens continuerait toujours de diriger l'une des branches les plus importantes des paris sportifs illégaux dans la région de Montréal».

Toujours selon l'inspecteur-chef Lapointe, le concept d'hommes d'honneur dans la mafia «n'existe plus» ici. «Alors qu'auparavant, les allégeances et la loyauté dictaient les façons de faire des organisations criminelles, aujourd'hui, c'est l'appât du gain qui fait foi de tout.» Ironiquement, cette analyse rejoint en tous points celle qu'Andrew Scoppa nous a confiée à Barcelone.

Enfin, l'article mentionne qu'Andrew Scoppa «aurait été mis à l'index par le reste de la mafia». «Il serait seul et isolé depuis qu'il a bénéficié d'un arrêt des procédures dans une affaire de possession de 100 kg de cocaïne en mai 2018, et le meurtre spectaculaire de son frère Salvatore, commis dans le lobby d'un hôtel de Laval en mai dernier, durant une fête familiale. Mais n'écartons pas trop vite Andrew Scoppa, qui connaît beaucoup de monde, a des ressources et a déjà su se tirer de mauvais pas», concluait *La Presse*.

À peine trois semaines plus tard, c'est la police qui frappe de plein fouet ce qui reste du clan Scoppa avec l'opération Préméditer. Bien qu'il compte parmi les suspects visés, Andrew Scoppa n'est pas arrêté ni accusé dans la rafle, faute de preuves suffisantes. Cette enquête, dont le défunt frère d'Andrew était l'une des cibles principales avant sa mort, visait à solutionner plusieurs meurtres perpétrés en marge de la guerre de pouvoir entre les factions calabraise et sicilienne de la mafia montréalaise, comme le rapporte *Le Journal de Montréal* dans des articles publiés les 16 et 17 octobre 2019:

Les assassins présumés du commando de la mafia que la police a appréhendés mercredi auraient minutieusement planifié leurs meurtres durant des mois.

La bande qu'auraient menée le défunt caïd Salvatore Scoppa – lui-même assassiné dans un hôtel de Laval en mai dernier – et son présumé bras droit, Jonathan Massari, a mis trois mois pour comploter les meurtres de deux leaders du clan Rizzuto.

Lorenzo Giordano, tué le 1er mars 2016, était dans leur mire dès le 8 décembre précédent. Ce jour-là, le mafioso condamné dans l'opération Colisée avait obtenu sa libération conditionnelle du pénitencier de Drummondville pour entrer en maison de transition sur la rue Sherbrooke Est à Montréal.

En filant Giordano lors de ses permissions de sortie, ils ont su que leur cible s'entraînait souvent au Carrefour Multisports de Laval. L'homme de 52 ans s'est fait tirer dans le stationnement en plein jour.

Le 27 mai 2016, le commando aurait ensuite tué l'ex-chef intérimaire de la mafia Rocco Sollecito après l'avoir suivi et avoir appris ses trajets lorsqu'il quittait son domicile de Laval avec son véhicule BMW.

Posté dans un abribus, le tireur a attendu comme prévu que le sexagénaire fasse un arrêt obligatoire à proximité pour dégainer son arme, sur le boulevard Saint-Elzéar.

Le quatuor est aussi soupçonné d'avoir trempé dans l'assassinat des frères Vincenzo et Giuseppe Falduto, qui avaient mystérieusement disparu en juillet 2016, dans l'est de la métropole.

Jonathan Massari, un trafiquant de 38 ans, est accusé d'avoir comploté et participé aux quatre meurtres.

Le tueur à gages Gérald Gallant, qui a confessé 28 meurtres, dont une vingtaine aux dépens des Hells Angels durant la guerre des motards, passait lui aussi des semaines à surveiller ses cibles. Le délateur disait vouloir connaître leurs allées et venues et déterminer d'avance l'endroit le moins risqué pour exécuter les contrats que lui donnaient les Rock Machine et le gang de l'Ouest.

Le commando se spécialisait dans la surveillance, la filature et les armes. Ses membres travaillaient toujours en équipe. L'Escouade nationale de répression du crime organisé (ENRCO) a infiltré ce commando avec l'aide d'un criminel embauché comme agent civil et qui a enregistré les aveux des suspects à leur insu. Le tribunal a interdit la diffusion de son identité pour des motifs de sécurité.

« Les gens ont tendance à croire que les policiers ont peu ou pas de chance de résoudre des meurtres liés au crime organisé. On envoie donc un message très fort aujourd'hui avec ces quatre meurtres résolus », a insisté l'inspecteur-chef Guy Lapointe, en ajoutant que ces « moyens extraordinaires » ont permis d'obtenir « des résultats qu'on croit extraordinaires ».

Selon un article paru dans *La Presse* le 13 novembre 2019, cet agent civil d'infiltration aurait décidé de collaborer avec la police « parce qu'il voulait changer de vie et parce que les frères Salvatore et Andrew Scoppa, qui sont soupçonnés d'avoir commandé les meurtres, ne leur ont pas versé, à lui et à ses complices, la totalité des sommes promises pour les contrats, sinon des montants parfois dérisoires ».

« Selon l'enquête baptisée Préméditer, les meurtres de 2016 auraient été commandés notamment par les frères Salvatore et Andrew Scoppa, dans le but d'asseoir leur autorité sur le reste de la mafia montréalaise », mentionne aussi l'article, qui ajoute que leur commando aurait eu « une liste d'au moins une douzaine de noms de mafieux à éliminer », principalement liés au clan sicilien.

Le 9 décembre 2019, notre Bureau d'enquête confirmait « le retour en force » de la faction sicilienne du crime organisé italien après six années d'instabilité, dans un article publié dans *Le Journal de Montréal* :

Le tandem formé de Leonardo Rizzuto et de Stefano Sollecito multiplie les rencontres avec les Hells Angels et leurs anciens ennemis calabrais, a appris notre Bureau d'enquête.

Stefano Sollecito est considéré comme le nouveau leader de la mafia. À ses côtés, on retrouve Leonardo Rizzuto, dont on attend de voir s'il veut chausser les souliers de son défunt père Vito Rizzuto. Ils peuvent compter sur l'appui d'associés stratégiques [chez les motards] comme Salvatore Cazzetta, Mario Brouillette et Martin Robert.

Même le puissant Francesco Arcadi, un proche de l'ancien parrain Vito Rizzuto, aurait repris du service après avoir terminé sa peine imposée après l'opération Colisée. Le 19 octobre dernier, l'homme de 66 ans a été revu pour la première fois en public depuis 2006.

Arcadi a assisté aux noces de sa nièce pour lesquelles plusieurs membres de la famille sont débarqués d'Italie. Quatre jours plus tôt, il avait terminé de purger sa peine de 15 ans au pénitencier de Drummondville.

Son subalterne Francesco Del Balso aurait aussi été autorisé à reprendre les affaires après un long purgatoire durant lequel ses ennemis ont tenté de l'assassiner.

Stefano Sollecito n'a jamais été arrêté ni accusé d'aucun des crimes qu'Andrew Scoppa lui a attribués durant nos rencontres avec lui.

«Ma vie est en train de tomber en ruines», nous répète Andrew Scoppa dans un rare moment de vulnérabilité, voire de détresse, deux mois avant sa mort, alors que notre périple dans la banlieue de Barcelone tire à sa fin. Ce jour-là, nous entendons même le mot «mafia» sortir de la bouche d'Andrew. C'est la seule et unique fois qu'il prononce en notre présence ce mot qui désigne une organisation criminelle dont les piliers cherchent obstinément à en dissimuler et à en réfuter l'existence depuis des décennies.

«La mafia, c'est un milieu bien étrange, argue-t-il d'un air philosophe mais sur un ton pessimiste. Aujourd'hui, tu es honorable, tu as fait un million de bonnes choses... Mais demain, dès la minute où tu commettras une erreur, ils vont tous se balancer des bonnes choses que tu as faites. Ça ne vaudra plus rien. Tu seras devenu un moins que rien. Personne n'est parfait. Tout le monde a droit à l'erreur. Me voilà, j'ai fait un million de bonnes choses et parce que j'ai fait une erreur dans ma vie, je dois être crucifié pour ça? Pourquoi? Parce que tu l'as décidé? Parce que t'es jaloux?

«Il n'y a plus d'honneur. Pas avec cette nouvelle génération. Un homme d'honneur, pour moi, c'est un homme de parole qui tient ses promesses et qui respecte tout le monde. Ça n'existe plus, c'est juste du vent. Avant, dans la mafia, un homme d'honneur, c'est quelqu'un qui devenait intouchable parce que nous nous sommes entendus pour l'inclure parmi nous et nous l'appuyons. Un crayon, ça se brise facilement. Si tu en prends quatre ou cinq ensemble, ça devient plus difficile de les casser, hein? C'était ça le principe autrefois. On se tient ensemble parce qu'on devient plus forts. La force du nombre. Même si on ne s'aime pas tous, même si on n'est pas toujours d'accord, on est plus forts ensemble.

«Disons que t'as réussi dans la vie. Que t'as pas réussi au détriment d'autres personnes dont t'aurais pu profiter. T'as fait les choses correctement, tu as été respectueux, généreux, compréhensif... Par exemple, chaque année, je donnais des milliers de dollars [à une fondation] pour acheter des cadeaux pour des enfants malades. Ça, c'est des qualités d'homme honorable. Mais ça n'existe plus ici [dans la mafia montréalaise]. Ce que tu vois, c'est de la cupidité, de l'égoïsme. C'est chacun pour soi. L'argent, c'est tout ce qui compte, c'est tout ce qu'il y a. Peu importe les moyens pour en récolter...

«La police ne fera rien pour arrêter ceux qui ont tué mon frère. J'ai des *flashbacks* de mon frère qui se fait tirer dessus, même si je n'ai rien vu parce que je n'étais pas là le soir où il a été tué. Certains disent : "Ce qui est fait est fait, tu ne peux rien y changer." J'imagine qu'il faut essayer d'accepter. Je n'ai pas assisté aux funérailles de mon frère non plus. De toute façon, il était trop tard pour lui dire au revoir...

« C'est triste. En fin de compte, il y a seulement quelques personnes qui méritaient vraiment de mourir dans toute cette histoire. Mais un tas de victimes, qui n'avaient rien à voir dans ces histoires de vengeance, ont été éliminées durant toute cette période-là, juste parce que ça avantageait quelques personnes qui en profitaient pour prendre leur *business*. C'est pour ça que je me suis fait tasser. Parce que je me suis plaint de ce qui se passait et que j'ai donné de la merde à Vito et à Steve Sauce à cause de ça. Je leur ai fait des reproches, je leur ai demandé pourquoi ils faisaient ça. Sauce et les autres gars ne l'ont pas digéré. Ils étaient supposés de me payer ce qu'ils me devaient et de me laisser me retirer tranquille. Mais ils me doivent encore une fortune.

« Steve Sauce, il se dit : "C'est moi le roi de la montagne." Il s'est bâti un certain statut en se débarrassant d'un tas de gens. Depuis que son père s'est fait buter, il pense qu'il peut tuer n'importe qui. Il s'en fout. Ça ne lui passe pas par la tête de penser qu'il a lui aussi tué des pères, des frères...

« Il est parvenu en haut de l'échelle en faisant du dommage, en éliminant des gens, et il pense qu'il doit continuer sinon ça va le rattraper et il y aura toujours de nouveaux ennemis qui vont apparaître.

« Si tu sèmes l'amour autour de toi, tu reçois de l'amour en retour. Mais si c'est du sang que tu fais couler, tu devrais aussi goûter à ta propre médecine. Qui vit par l'épée périt par l'épée. Du moins, c'est comme ça que je vois les choses.

« Je ne regrette pas ma vie de criminel. Mais ce que je regrette, c'est d'avoir un fils dont je ne pourrai plus prendre soin s'il devait m'arriver malheur... Je ne peux même pas me permettre d'aller voir mon fils jouer ses matches de soccer. Parce que ces idiots n'ont aucun respect et pourraient bien le faire [me tuer] au terrain de soccer. C'est ce qui est arrivé à Antonio De Blasio, qui a déjà comploté pour tuer mon frère en 2015. Il a été criblé de balles dans un parc de Saint-Léonard sous les yeux de son fils qui venait de finir une pratique de soccer, le 16 août 2017. C'était probablement à cause du contrat de meurtre bâclé sur Tony Vanelli où des membres d'un gang de rue l'ont confondu [avec un autre] et ont tué par erreur un septuagénaire dans un café italien [le 2 juin 2016]. C'est De Blasio qui était en charge du *Black Crew* qui exécutait les contrats. En plus, il servait d'intermédiaire avec ceux qui commandaient les contrats. Il devenait un témoin gênant pour certaines personnes.

« Ce que je vis présentement, je ne souhaiterais ça à personne. Tu te réveilles en sueur au beau milieu de la nuit. Tu rêves qu'il va t'arriver quelque chose de grave. Le monde que tu t'es bâti est en train de s'effondrer. Tu ne pourras plus être là pour t'occuper de ta famille. Tu as de la misère à respirer en raison de l'anxiété. Tu fais les cent pas. T'es agité. Ou encore, tu penses faire quelque chose de stupide que tu vas regretter...

« Ma femme, j'essaie de lui en dire le moins possible. Mais elle sait que ma vie est menacée. Je pourrais m'en aller. Mais où ? De toute façon, je ne suis pas le genre de gars à vouloir se cacher.

« La *snitch* [taupe] qui a infiltré le commando de mon frère pour le compte de la police... C'est drôle, ce gars-là est venu sonner à ma porte il y a quelques semaines. Il a essayé de me

faire parler. Il disait des trucs comme : "Andrew, t'es le meilleur !
Ah oui, au fait, as-tu payé pour un tel contrat [de meurtre] ?"
Il essayait de m'impliquer là-dedans. Moi, j'ai rien à voir avec
tout ça. J'essaie juste de faire la paix. Quand il est venu, je me
demandais comment ce gars-là savait mon adresse. Et comment pouvait-il savoir que j'étais là à ce moment, alors que je
suis rarement à cet endroit ? Maintenant, je comprends que
ça doit être la police qui lui a dit. Et ça veut dire que les flics
me surveillaient. Ça veut aussi dire qu'ils essayaient encore
de m'arrêter.

« De toute façon, je ne suis plus en sécurité ici. C'est horrible
comme sentiment. Tu ne fais plus confiance à personne. Tu
ne veux pas sortir et risquer de tenir des rencontres. Tu sens
que t'es cerné et que tu n'as plus aucune option pour t'en
sortir. T'es encerclé de tous côtés. T'as le sentiment que la
fin approche. Et qu'elle est presque arrivée...»

La dernière journée que nous passons ensemble en Espagne
commence drôlement. Andrew insiste pour que je les accompagne, lui et Eric, au centre-ville de Barcelone où ils vont
admirer en autobus les principales merveilles architecturales de la *ciudad de Gaudí*. Mais j'ai du travail à faire pour un
documentaire qui doit être livré bientôt et je dois rester à la
chambre d'hôtel.

Je me rappelle avoir été amusé par les images que j'avais en
tête : Eric et Andrew assis côte à côte avec un troupeau de
touristes en train de photographier la *Sagrada Família*. Ce n'est
pas tous les jours que tu joues au touriste avec un narcotrafiquant soupçonné de plusieurs meurtres... Mais Eric m'a dit
qu'Andrew n'a pratiquement rien dit durant les trois heures

que leur tour de la ville a duré. Qu'il avait visiblement la tête ailleurs malgré les beautés architecturales de Barcelone et qu'il se faisait du mauvais sang en silence.

Au fond, j'en avais un peu marre de la présence d'Andrew tant il broyait du noir depuis une semaine. Même en tentant de garder une distance journalistique entre son propos, sa personne et nous, il reste que nous avions passé cinq jours en sa compagnie de 11 h le matin jusqu'à tard le soir. Le plus souvent, notre invité était stressé et inquiet pour la suite des choses.

La présence de Scoppa elle-même en impose. Son ton de voix est grave et ses propos, directifs. Tout au long de notre séjour avec lui, il insistait pour que nous mangions tous une part égale des fruits qu'il achetait. Toujours les mêmes fruits d'ailleurs : oranges, cerises, figues. Au resto, il fallait s'entendre sur ce que nous allions commander et invariablement partager à parts égales toutes les assiettes que le serveur nous apportait. Il n'y avait pas de place à la discussion. Je me rappelle qu'il nous avait traînés dans un supermarché Caprabo. Il voulait acheter du miel pour combattre ce qu'il disait être une grippe qui le faisait éternuer, violemment d'ailleurs, toutes les cinq minutes. Il voulait exactement un miel qu'il trouve dans une épicerie de Montréal et qui bien sûr n'existe pas dans les marchés espagnols. Nous sommes restés là une demi-heure jusqu'à ce qu'il quitte l'endroit en maugréant.

C'est dans cette atmosphère marquée par la psychorigidité que la dernière journée à Barcelone s'est déroulée. Pour ma part, j'éprouvais un soulagement énorme que cette aventure se termine. Il faut comprendre qu'Andrew Scoppa s'était incrusté dans plusieurs sphères de ma vie. Il m'appelait à chacun de mes anniversaires et à ceux de mes enfants. Il me racontait ses peurs, ses angoisses, ses problèmes matrimoniaux, philosophait sur la vie et le temps qui passe. Dans son cas, le « temps qui passe » était souvent du temps emprunté, car sa vie pouvait s'arrêter du jour au lendemain. Au fond, Scoppa n'avait pas le contrôle sur sa vie... ni sur sa mort. Cette dernière perspective le rongeait. Je me suis toujours demandé si c'était pour compenser le manque de contrôle sur sa propre vie qu'il en exerçait autant sur celle des autres.

Selon le DSM-5, le manuel diagnostique et statistique des troubles mentaux de l'Association américaine de psychiatrie, un individu est aux prises avec un trouble de la personnalité narcissique s'il présente au moins cinq des symptômes suivants :

- Avoir un sens grandiose de sa propre importance.
- Être absorbé par des fantaisies de succès illimité, de pouvoir, de splendeur, de beauté ou d'amour idéal.
- Penser être « spécial » et unique et ne pouvoir être admis ou compris que par des institutions ou des gens spéciaux et de haut niveau.
- Avoir un besoin excessif d'être admiré.
- Penser que tout lui est dû : s'attendre sans raison à bénéficier d'un traitement particulièrement favorable et à ce que ses désirs soient automatiquement satisfaits.
- Exploiter l'autre dans les relations interpersonnelles : utiliser autrui pour parvenir à ses propres fins.
- Manquer d'empathie : ne pas être disposé à reconnaître ou à partager les sentiments et les besoins d'autrui.
- Envier souvent les autres, et croire que les autres l'envient.
- Faire preuve d'attitudes et de comportements arrogants et hautains.

Je ne suis pas psychologue et je n'étais pas dans la tête d'Andrew, mais c'était tout comme, tellement il se confiait à moi. D'après moi, il remplit tous les critères de la personnalité narcissique.

En ce dernier soir, nous sortons dîner vers 21 h 30. Le restaurant est bondé. Nous prenons une table sur la terrasse. Cette fois, je me le rappelle, j'insiste pour commander mon propre plat. Je veux manger une paëlla et ce n'est pas Andrew qui va m'en empêcher.

Il existe une seule photo prise de cette rencontre exceptionnelle entre un influent mafieux et deux journalistes de Montréal à Barcelone. On y distingue Andrew, casquette blanche et polo blanc, et un petit bout du crâne d'Eric. Je l'ai prise de loin, car Andrew a toujours refusé les photos.

Après avoir discuté autour d'une bouteille de vin, nous nous disons que nous sommes satisfaits du travail accompli. Andrew semble soulagé aussi. Ce soir-là, il y a une partie de moi qui sait que c'est la dernière fois que je vais le voir. Dès ce soir-là, j'ai décidé que, pour ma part, il s'agissait du dernier acte. Je voulais reprendre mes distances pendant plusieurs mois afin de trouver quel sens donner à ses confessions. Scoppa nous a donné la réponse sans le vouloir.

Après notre souper, nous prenons notre digestif à l'intérieur du restaurant où une employée nous sert à chacun un verre de grappa. Nous sommes les seuls clients restants. La serveuse joue nos demandes spéciales pendant les derniers préparatifs avant la fermeture.

« And now the end is near,
And so I face the final curtain.
My friend, I'll say it clear,
I'll state my case of which I'm certain... »

Andrew vient de demander *My Way*, ma mythique pièce de Frank Sinatra. Il la chante jusqu'à la fin sans buter sur aucune parole. Il a les yeux grands ouverts, le sourire dans la voix et il bombe le torse.

« To think I did all that,
And may I say, not in a shy way,
Oh no, oh no, not me,
I did it my way. »

Nous marchons un long moment pour le reconduire à son hôtel. Nous prenons un dernier verre dans le lobby de l'hôtel Ibis de Molins de Reis à côté de deux policiers espagnols.

Le temps est venu de se quitter. Avant qu'on se laisse, je me risque à lui poser cette question : que faire avec les enregistrements si quelque chose de grave devait lui arriver ?

Alors que nous rentrons en marchant vers notre hôtel, Eric et moi, je reste de longues minutes sans dire un mot. Les deux phrases qu'Andrew vient de prononcer veulent tout dire.

Scoppa nous a répondu de « faire ce qu'on a à faire », reprenant son expression fétiche au sujet des faits d'armes de Vito Rizzuto.

« Do the right thing », a-t-il ajouté avec un grand sourire.

FIN